회귀 경찰의

리셋 라이프

The Reset Life

회귀 경찰의 리셋 라이프 7

초판 1쇄 발행 2022년 2월 10일

지은이 | 한길
발행인 | 신현호
편집장 | 이호준
편집 | 송영규 최종건 정재웅 양동훈 곽원호 조정범 강준석 최성화
편집디자인 | 한방울
영업 | 김민원

펴낸곳 | ㈜ 디앤씨미디어
등록 | 2002년 4월 25일 제20-260호
주소 | 서울시 구로구 디지털로 26길 111 JnK디지털타워 503호
전화 | 02-333-2513(대표)
팩시밀리 | 02-333-2514
E-mail | papy_dnc@dncmedia.co.kr
블로그 | blog.naver.com/gnpdl7

ISBN 979-11-364-3054-0 04810
ISBN 979-11-364-2581-2 (SET)

Papyrus Modern Fantasy
한길 현대 판타지 장편소설
회귀 경찰의
리셋 라이프
7
PAPYRUS
파피루스

1장. 만나서 반갑다 ·································7

2장. 연말의 악몽 ································· 67

3장. 그 파출소에선 무슨 일이 벌어지는가 ···127

4장. 장난으로 던진 돌에 개구리는 죽는다 ···197

5장. 얼굴 없는 남자친구························ 297

1장. 만나서 반갑다

만나서 반갑다

용산서 강력계 형사 2팀 반장이 머리를 긁는다.

"어이구. 정말 이걸 우리에게 넘겨도 되는 거야?"

부담스러워하면서도 따라온 박영일 기자의 모습에 욕심을 낸다.

피식 웃은 권순호 경사가 옆에 서 있는 종혁의 등을 떠밀었다.

"이놈 의견이니 이놈한테 들으세요."

시선이 몰린 종혁은 턱을 긁었다.

"뭐, 프로파일링수사과가 직접 범인을 체포해서 어디다 쓰겠어요. 전국에 저희를 필요로 하는 사건도 넘쳐서 시간도 없고, 괜히 같은 식구 밥그릇 뺏으면 좋지도 않고."

같은 식구 밥그릇.

반장을 비롯해 형사들이 어이없다는 듯 웃었다.

"허허. 생도가 벌써 그런 걸 생각해?"

"본청 특수에게 제대로 배웠다는 소리는 들었지만……."

"저도 내년이면 정말 한 식구잖습니까! 막내의 애교 섞인 뇌물이라고 생각해 주십시오!"

허리를 깊이 숙였던 종혁은 고개를 빼꼼 들었다.

"대신 이번 사건에 저희 과가 도움이 많이 됐다고 첨언을……."

"뭐?"

멍해졌던 반장은 웃음을 터트렸다.

"오케이, 콜! 받았다! 이런 뇌물이라면 아가리를 찢어서라도 받아야지! 프로파일링 대단하다고 칭찬도 막 할게!"

'그렇지!'

사건을 넘기면서 듣고 싶었던 말을 들었다.

아직까지는 경찰 개개인의 통찰력과 연륜을 우선시해서 별 필요성을 느끼지 못하는 프로파일링수사과.

불러 주는 곳은 제법 있지만, 아직도 대원이 충원될 기미가 보이지 않는다.

그러니 이런 소문이 퍼져야 한다.

프로파일링수사과를 부르면 좋은 일이 생긴다.

프로파일링을 하면 범인을 한 놈 잡고도, 또 하나 더 잡을 수 있다. 이렇게라도 프로파일링 수사를 보급화시킬 수 있다면 사건 한 개가 아니라 백 개도 넘길 수 있었다.

"감사합니다!"

반장은 종혁의 뒤통수를 보며 입맛을 다셨다.

'특수, 광수대, 마약대 본청 삼대 꽃이 모두 얘를 노린다지?'

확실히 지금까지 쌓은 커리어만 봐도 일선 경찰서 사이즈가 아니다.

그는 아쉬움을 접었다.

"자, 그럼 우리 햇병아리가 차려 준 밥을 먹으러 가 볼까?"

용산서 강력계 형사 2팀과 프로파일링수사과 멤버들은 다 함께 정천우가 근무하는 병원으로 들어섰다.

"어? 어? 거기 함부로 들어가시면! 힉?!"

험악한 인사들이 다가오기에 다급히 막으려 했던 간호사가 경찰 공무원증을 보고 하얗게 질린다.

반장은 진료실의 문을 벌컥 열고 들어갔다.

"당신들 뭡니까!"

깜짝 놀란 정천우가 버럭 소리를 지른다.

반장이 체포영장을 꺼내 들었다.

"정천우 씨, 당신을 이희선 씨 살인미수 혐의로 체포합니다. 아셨죠? 야, 수갑 채워."

다가온 형사가 수갑을 채운다.

손목에 싸늘하고 무거운 족쇄가 채워지자 정신을 차린 정천우는 기겁하며 날뛰었다.

"이, 이게 무슨 짓입니까! 이거 얼른 풀어요!"

그 순간.

짜아악!

반장이 정천우의 뺨을 후려쳤다.

"증거 다 확보했으니까 그냥 아가리 닫고 들어, 이 남자도 아닌 새끼야."

"……."

"아무튼 당신은 묵비권을 행사할 수 있고……."

종혁은 멍해진 그를 싸늘하게 쳐다봤다.

한편 이효정도 본인의 집에서 경찰에게 수갑이 채워지고 있었다.

"이효정 씨, 당신을 살인 교사죄로 체포합니다."

"아, 아니야! 아니라고요! 엄마-!"

"당신들 뭐야! 내 딸에게 이러고도 무사할 것 같아?! 너희 어느 서야!"

"아, 정정자 씨. 당신도 참고인 조사로 따라오셔야 합니다. 뭐 탈세에 건축법 소방법 위반에 아주 씨발 털 게 많아. 보니까 계약 만료까지 한참 남은 임차인도 협박 폭행해서 쫓아내셨더라?"

"놔! 놔아!"

또 다른 악마들도 벌을 받게 되었다.

* * *

남편이 간통을 저지른 것도 모자라, 아내를 독살하려고

했다. 모든 신문 1면이 이 끔찍한 참상을 다루자 사법계도 무거운 엉덩이를 빨리 뗄 수밖에 없었다.

판사가 곧바로 정해졌고, 재판도 고작 3주 만에 판결이 떨어졌다.

"죄질이 너무 악랄한 바 이에 본 판사는 피고 정천우와 피고 이효정에게 각기 19년, 13년 징역형에 처한다."

땅땅땅!

"아, 아니야! 아니라고! 난 그러려는 게 아니었어요!"

정천우와 이효정.

두 악마가 절망의 구렁텅이에 빠지는 순간이었다.

"하아."

가석방 및 감형이 없는 19년 징역형.

증거로 제출된 블랙박스의 대화 내용으로 인해 이효정이 공범으로서 살인을 교사했음이 드러난 것은 물론, 쥐약을 먹이고 있던 이희선뿐만 아니라 아이들도 살해하려 했음이 들통났다.

이 탓에 징역형은 원래 15년이 최대지만 가중 처벌을 받아 형이 4년 더 늘었다.

대학교수인 아버지가 이리저리 뛰어다니며 항소를 했지만 당연히 기각됐고, 도리어 못난 아들을 둔 대가로 교수직을 내려놓게 되었다.

'쉰하나.'

형을 모두 마치면, 51세다.

그날이 과연 올까 싶을 정도로 아득했다.

"더 좋은 여자를 만나 멋진 인생을 살고 싶었던 게 뭐가 나쁜데. 어? 뭐가……."

그는 눈물이 고이는 눈을 가리며 끅끅 울었다. 같은 방 죄수들이 어이없다는 듯 쳐다보는 줄도 모른 채.

"사천삼백사십오 번. 면회."

'면회? 엄마인가?'

거의 매일처럼 들르는 엄마.

정천우는 벽에 기대고 있던 등을 떼며 몸을 일으켰다.

촤락!

손목에 채워지는 수갑은 오늘도 싸늘했다.

무거운 걸음을 옮겨 면회실에 도착한 정천우는 눈을 부릅떴다.

"여, 여보?"

이희선, 그녀였다.

'대, 대체 왜?'

재판을 할 때도 변호사만 보낸 그녀다.

'서, 설마 나를 아직 못 잊어서? 이제라도 날 용서하려고?'

충분히 그럴 여자다.

미련하고 멍청한 여자.

정천우는 웃음을 삼키며 의자에 앉았다.

희선을 이용할 생각에 달아오른 정천우는 그녀의 옆에 누군가 서 있다는 것조차 인식하지 못했다.

이희선의 눈이 '제발' 마지막 희망을 걸고 있다는 것조차도 인식하지 못했다.

"잘 지냈어? 몸은 좀 어때? 애들은? 아빠 많이 찾지?"

"……."

"……여보?"

흔들리던 이희선의 눈동자에서 온기가 사라진다.

기대감이 사라지고, 실망과 경멸이 들어찬다.

그리고 옆에 서 있는 사람, 종혁에게로 돌아간다.

"형사님 말이…… 맞았네요. 모두 다."

그제야 당황해 시선을 돌린 정천우의 눈에 종혁이 들어왔다.

종혁은 그녀의 어깨를 두드렸다.

"제가 뭐랬습니까. 반성 따윈 절대 안 할 거고, 아이들을 걸고넘어져 동정심부터 유발시킬 거라고 말했잖아요."

자신을 향한 사과가 먼저 나오기를 간절히 기도했건만, 정천우는 종혁이 이야기한 그대로였다.

"네, 그러네요. 정말…… 이렇게 나쁜 사람이었어요."

이희선 본인이 사랑했던 남자는 이런 남자였던 거다. 그녀는 가슴에 남아 있던 마지막 미련까지 털어 냈다.

그 모습에 정천우는 뭔가 잘못됐음을 느꼈다.

"여, 여보!"

"지금부터 제가 할까요?"

"아니요. 제가 말할게요. 결국 저와 제 아이들을 위한 일이니까."

그녀는 고개를 돌려 정천우를 봤다.

"영우 아빠, 아니…… 정천우 씨."

감정이 사라진 인형 같은 표정.

이희선과 연애를 시작하면서부터 지금까지 단 한 번도 본 적 없는 표정이다. 아내가 맞는데 아내가 아닌 듯 낯설었다.

오싹!

그는 공포를 느꼈다.

"우린 지금부터 이혼하게 될 거예요."

철렁.

그의 심장이 내려앉았다.

"여보! 희선아!"

"애들 양육권은 당연히 내가 가져갈 거고, 우리 영우 설이 잘 키우기 위해서 민사 소송이란 것도 걸 거예요."

"희선아! 자, 잠깐만 희선아!"

"이분께서 소개해 주신 변호사님이 말하길, 당신 재산은 모두 나와 결혼한 이후 혹은 우리 결혼을 이유로 형성이 된 거라서 80퍼센트 이상 가져올 수 있대요. 그리고…… 그리고……."

"육체적 정신적 피해 보상도 청구할 수 있습니다. 여기에 양육비도 지불해야 되고요."

이렇게 되면 정천우의 부모가 정천우에게 준 모든 재산을 가져올 수 있다.

"참고로 이효정 씨에게도 정신적, 육체적 피해 보상을 청구할 예정입니다."

"넌 또 뭐야! 안 닥쳐?! 희선아, 아니지? 희선아 나 좀 봐! 나 정천우야! 네 남편! 네 오빠-!"

듣기 괴로워진 희선은 눈을 질끈 감았고, 종혁은 격벽을 후려쳤다.

꽈아앙!

"흡?!"

놀라 굳은 정천우를 향해 종혁은 싱긋 웃었다.

"아가리 찢어 버리기 전에 입 닫으세요. 아직 말이 다 안 끝났으니까."

놀라는 교도관에게 고개를 숙여 준 종혁은 말을 이었다.

"이분께 들어 보니까 댁 부모님이 꽤 힘들게 하셨더라고요? 그것도 손해배상 청구가 들어갈 예정이니까 기대하세요."

종혁은 손해배상 청구를 할 항목에 대해 몇 가지 더 말했다.

털썩!

망연자실 주저앉은 정천우의 머릿속에 앞으로의 상황이 그려졌다.

이번 사건이 알려지며 의사 면허를 박탈당했고, 평생 의사면허를 취득할 수 없도록 제한됐다. 이 와중에 남은 재산까지 모두 잃게 된다면 정말 아무런 미래도 없는 셈이었다.

그의 얼굴이 점점 공포로 물들었다.

그러면서 불신도 차올랐다.

희선이 이런 악독한 짓을 저지를 리가 없었다.

"희, 희선아! 아니지? 너 그렇게 독한 여자 아니잖아. 맞지? 응? 거짓말이지?"

실성한 것 같은 그의 모습에 종혁은 이희선의 어깨를 감싸 쥐며 일으켜 세웠다.

보여 줄 건 다 보여 줬다.

밑바닥에서 허우적거리는 초라하고 망가진 사랑했던 남자의 말로. 그러면서도 끝까지 용서를 빌지 않는 구제받을 수 없는 모습.

이제 이희선도 마음을 놓고 새 출발을 할 수 있을 거다.

"가시죠."

"……네."

"너 그러면 나 죽어! 죽어 버릴 거라고-!"

종혁은 양손으로 희선의 귀를 막았다.

"야, 이 새끼야-! 손 안 떼?! 희선아! 나 봐 봐! 아니잖아-!"

무너진 정천우를 힐끔 본 이희선은 발을 뗐다.

'안녕.'

밖으로 나온 그녀는 화창하게 푸른 늦봄의 하늘을 보며 한숨을 길게 내쉬었다.

그러곤 종혁에게 허리를 숙였다.

"감사합니다. 형사님이 아니었다면 손해배상 청구라는 것도 몰랐을 거예요."

아니, 할 생각조차 안 했을 거다. 종혁이 먼저 경고해 주지 않았다면, 정천우의 연기에 속아 그를 동정하고 결국 탄원서를 썼을 거다.

종혁은 그런 그녀의 마음을 이해한다는 듯 고개를 끄덕였다.

"아마 보상금을 다 합하면 아이 둘을 키우시는 데 어려움은 없으실 겁니다. 그렇게 되도록 도울 거고요."

수억에 달하는 보상금.

그 정도면 학군 좋은 동네에 보안도 뛰어난 빌라나 아파트를 얻어 남부럽지 않게 살 수 있을 거다.

종혁은 그렇게 만들기 위해 리스트까지 뽑아 줬고, 자산 관리를 위해 권&박 홀딩스도 연결시켜 줬다.

또 그녀 몰래 영우와 희설에게 후원도 할 예정이었다.

"……대체 왜 이렇게까지 잘 해 주세요?"

"영우, 희설이와 행복하게 잘 사시라고요. 이제부터 아빠 없이 자랄 그 아이들이 그 어떤 부족함도 느끼지 못하며 클 수 있도록. 그 힘들고 어려운 걸 희선 씨가 해낼 수 있도록 돕는 것뿐입니다."

'경찰이니까.'

분명 범죄를 저지른 가해자가 힘들고 괴롭게 살아야 하는 게 맞는데, 지켜보면 힘들게 사는 건 피해를 입은 피해자다.

그 꼴을 보며 얼마나 분통 터졌는지 몰랐다.

그래서 바꾸고 싶었다.

가해자는 괴롭게, 피해자는 행복하게.

이를 위해선 얼마든지 쓸 수 있었다.

'이럴 때 쓰라고 번 돈이야.'

그 조직을 쫓는 것 외에도 돈을 번 이유는 바로 이것이었다.

"저도 편모 가정에서 자라서 어머니가 절 얼마나 힘들게 키우셨는지 알거든요. 아버지 없이, 남편 없이 살다 보면 서러울 때가 정말 많더라고요. 여기에 돈마저 없으니, 어휴. 말도 못했죠. 저도 힘들었지만, 어머니는 더 힘드셨을 거예요."

종혁 본인이야 서러운 일이 있으면 어머니 고정숙에게 칭얼거리기라도 했지만, 어머니는 그럴 사람이 아무도 없었다.

힘들어도 괴로워도 누구에게 하소연 한 번 못하고, 썩어 가는 가슴만 두드리며 사셨던 분이다.

"가, 감사합니다. 정말……."

종혁은 이희선이 울음을 터트리려 하자 등을 떠밀었다.

"어서 가 보세요. 애들이 기다리겠네요."

망설이던 이희선은 결국 차에서 기다리는 아이들에게로 향했다. 연신 종혁에게 허리를 굽히며.

차에 오른 그녀는 아이들을 끌어안았다.

"엄마. 아빠는?

"아빠는 안 와?"

"응. 아빠 안 와. 이제 영우랑 설이는 엄마랑 셋이 함께 사는 거야. 그러니……."

정말 행복하게 살아야 했다.

남부럽지 않게, 남이 부러워할 만큼 잘 키워야 했다.

카가각!

세 가족을 태운 차가 새 출발을 위해 출발했다.

“푸후우.”

‘끝났네.’

이렇게 다 끝내고 나니 어느덧 5월 말이다.

이제 몇 달만 있으면 8월 여름방학이다.

러시아에 갈 시간.

러시아에 있는 놈들을 족칠 시간도 이제 얼마 남지 않은 거다.

까드득!

종혁은 북쪽을 보았다.

지금쯤 몰려드는 투자금에 기쁨의 비명을 지르고 있을 그 조직의 놈들.

‘그래, 지금을 마음껏 즐겨라. 내가 가면…….’

“지옥이 열릴 테니까.”

종혁은 얼른 오라며 손을 흔드는 무로이와 미하일을 향해 발을 뗐다.

* * *

-그냥 마음만 받으시겠대요, 아빠.

이대철은 막내딸 이희선의 말에 난처해했다.

정천우의 끔찍한 악행이 밝혀진 이후, 이대철은 그토록 반대한 결혼을 하며 의절했던 막내딸을 용서할 수밖에 없었다.

딸아이가 그런 끔찍한 일을 당했다는데 모른 척할 수 있는 아비는 세상에 없을 터였다.

"허허…… 거참."

조사한 바에 따르면, 딸과 손자손녀의 목숨을 구해 준 은인은 경찰대학교의 생도였다.

그 은인은 목숨을 구해 준 것으로 모자라, 한국에서 세 손가락에 꼽히는 로펌의 변호사로 변호인단까지 꾸려 줬다.

평생 갚아도 갚지 못할 빚.

그런데 정작 그 은인은 밥 한 끼 대접하는 것조차 거절하고 있었다.

가슴이 답답하고 무거웠다.

"한사코 거절하시니 어쩔 수 없구나. ……영우와 설이는 잘 있니?"

그동안 외면했던 손자 손녀를 부르려니 민망하고 부끄러워 입이 잘 떨어지지 않는다.

-그럼요. 오늘도 할아버지집에 언제 가냐고 노래를 부르던걸요? 바꿔 드릴까요?

"그, 그럴래?"

-영우야, 할아버지야.

-하부지-!

이대철의 얼굴이 활짝 폈다.

그렇게 한참 통화를 하던 그는 전화를 끊자마자 한숨을 내쉬었다.

"그런 의인에게는 응당 보답을 해야 하는데…… 어휴."

지이잉! 지이잉!

답답한 가슴을 치던 그는 다시금 전화가 진동하자 서둘러 전화를 받았다.

"어이구. 또 할애비가 보고 싶었…… 응? 김 과장?"

-휴일 늦은 밤 전화를 드려서 정말 죄송합니다, 부장님.

"아냐, 아냐. 무슨 일이야?"

-방금 전 1차로 블랙박스 30만 대 계약을 완료해서 보고 차 연락드렸습니다.

"그래, 수고했어. 오늘은 푹 쉬고 자세한 보고는 내일 받지."

-예! 편히 쉬십시오!

전화를 끊은 그는 생각에 잠겼다.

딸의 재판에 갔을 때, 증거 자료로 제출됐던 블랙박스 영상.

정천우의 끔찍한 말에 속에서 천불이 끓고, 이성이 끊길 것 같으면서도 그 영상을 보니 저런 걸 차에 달면 좋겠다 싶었다.

그래서 재판이 끝나고 마음의 여유가 생기자 서둘러 계약을 진행시켰다.

무슨 일인지 위에선 단번에 승인이 떨어졌다.

"현오성 상무님께서 후계자 자리를 굳히시려 드는 건가."

이걸 왜 이제야 알았나 싶을 정도로 구매할 수밖에 없는 디자인과 퀄리티를 지닌 제품이었지만, 뭔가 있다는 기분이 들었다.

"중공업에 있는 동기도 그 회사에서 CCTV와 블랙박스를 다량으로 구매한다고 하던데…… 흐음."

대현중공업 회장님의 특별 지시라고 들었다.

블랙박스는 직원들에게 별도로 주는 보너스라고 했다.

그래서 더 뭔가 있는 것 같았다.

이대철, 그는 대현자동차그룹의 부장이었다.

* * *

―대한민국은 삼면이 바다다. 북으로는 강성 대군이 버티고 있다. 즉, 놈들이 도망칠 곳은 없다.

범인을 쫓는 양동현의 모습이 멀어지며 영화는 끝을 맺었다.

짝짝짝짝짝!

엔딩 크레딧이 올라오며 불이 켜지자 박수가 쏟아졌다.

지난 몇 달간 공들여 찍은 영화의 시사회.

우레처럼 쏟아지는 박수에 그동안의 노력히 헛되지 않았구나 작게 안심하는 배우들과 감독에게 사회자가 몇 가지 질문을 건넸다.

몇 차례 이어진 질문 뒤에, 사회자가 감탄을 토하며 물었다.

“이번 영화는 특히 디테일이 살아 있다는 느낌이 들었습니다. 엄청난 디테일을 살려 낼 수 있었던 비결이 있으실까요?”

사회자의 질문에 서로를 본 김영진 감독과 주연 배우들은 피식 웃었다.

“이번 저희 영화는 저기 계신 최종혁 자문님의 도움을…… 어?”

없다.

분명 아까 인사도 나눴는데 자리에 없다.

그들은 당황하며 종혁을 찾았고, 시사회장은 잠시 어수선해졌다.

한편, 귀찮은 일이 생길 것 같아 시사회가 열리는 극장을 빠져나온 종혁은 무로이와 미하일을 봤다.

“이제 가는 거지?”

무려 5개월의 연수가 끝났다.

무로이와 미하일은 진하게 아쉬워했다.

빈집털이 연쇄 절도 사건부터 시작해 지금까지.

전국을 누비며 프로파일링 수사를 곁에서 지켜보고, 또 어쩔 땐 의견도 내며 개입을 했던 나날들.

이런 날이 거듭될수록 그들은 프로파일링에 흠뻑 빠져들 수밖에 없었다.

종혁과 권순호 경사가 모이니 해결하지 못하는 사건이 없었다. 가끔 임성원 교수가 합류하면 사건이 해결되는 속도가 더 빨라졌다.

한 명보다 두 명이 모일 때, 두 명보다 네 명이 모일 때보다 더 완벽해지는 집단지성의 수사 프로파일링.

'조금만 더 배우면 완벽해질 것 같은데.'

정말 고국으로 돌아가는 게 안타까울 정도다. 그래서 연수가 일주일 전에 끝났음에도 계속 남았던 거다.

하지만 이젠 더 이상 버티기가 힘들었다.

인천국제공항에 도착한 그들은 악수를 나눴다.

"다음엔 현장에서 만나자, 종혁아."

"우리나라 범죄자가 일본까지 도망치게 만들지 말아야지."

"그건 맞는 말이네. 음."

"그래. 다음에 봐, 형."

"……그래."

남자의 이별은 짧고 굵게다.

언젠가 다시 만날 걸 알기에 무로이는 허리를 꼿꼿이 세우며 공항 안으로 걸음을 옮겼다. 이제 다시 경시청 소속 경부보로 돌아갈 시간이었다.

출국 게이트로 사라지는 그의 모습을 지켜보던 종혁은 습관적으로 담배를 찾았다가 혀를 찼다.

언제나 이별은 씁쓸했다.

또각또각!

가까워지는 구둣발 소리에 고개를 돌린 종혁은 옅게 웃었다.

"왔어요?"

나탈리아다.

그녀가 요원들을 대동한 채 다가오고 있었다.

"이번엔 딱 맞춰서 도착했죠?"

"하하."

러시아에서 피지컬 트레이닝 전수를 마치고 돌아오던 날 살짝 늦었던 그녀.

"그럼 갈까요?"

"예. 가시죠."

그들의 연수가 끝나면서 종혁도 방학을 맞이하게 되었다.

이제 정말 놈들을 잡으러 갈 시간이었다. 종혁의 눈이 매섭게 떠졌다.

그렇게 그들은 러시아로 향했다.

어리둥절해하는 미하일과 함께.

* * *

징벌이라는 이름을 지닌 시베리아의 작은 마을.

토요일 저녁 7시가 되자, 김 대리의 집으로 일라이자 채굴 러시아 지사 직원들이 모여 파티를 벌였다.

"하하하!"

"호호호!"

캐도 캐도 끝없이 나오는 금에 근처 도시에서 채용했던 직원들이 계속 이렇게만 같아라 기도한다.

이 떠들썩함에 동네 주민들도 기웃거렸다.

"자자, 주목!"

김 대리의 외침에 직원들이 쳐다본다.

"오늘 이렇게 갑자기 예정에도 없던 파티를 열게 되어 모두 궁금할 거라 생각합니다."

사람들은 고개를 끄덕였다.

"오늘 이렇게 파티를 열게 된 이유는 바로!"

"질질 끌지 말고 말하세요, 대리님! 러시아 스타일 모르시나!"

"……에이. 넌 좀 이따가 봐."

김 대리는 근처 대도시에서 모집한 직원들을 바라보며 다시 말을 이었다.

"축하드립니다. 저희 일라이자 채굴의 정직원이 되신 걸! 방금 전 본사에서 승인이 떨어졌습니다!"

순간 거실에 정적이 내려앉았다. 그들은 잘못 들은 건가 귀를 의심했다.

하지만 그것도 잠시였다.

"……와아악!"

"꺄아악!"

실업률이 심각한 러시아.

각자 가정이 있는 그들로서는 간절히 바라 왔던 소식이자, 생각지도 못했던 선물이었다.

그들의 눈에 눈물이 고였다.

"앞으로 우리 러시아 지사는 계속 러시아의 금을 캘 것이니, 모두 이 기쁜 날을 마음껏 즐겨 주시길 바랍니다.

이상! 아, 특별히 수요일까지 휴가니 집에 가서 푹 쉬시고 목요일에 봅시다! 정말 끝!"

"으아아악! 감사합니다, 매니저!"

"정말…… 정말 감사해요, 킴!"

"이런 날엔 보드카가 빠질 수 없지! 매니저, 내 보드카를 받아 주십시오!"

"하하. 술은 좀……. 전 이 포도주스로 대신하겠습니다."

"매니저는 다 좋은데, 러시아 사람 같지가 않아."

보드카를 싫어하는 러시아 사람은 없기에 직원은 김 대리를 별종 보듯이 봤다.

하지만 이내 곧 신경을 껐다.

어쨌거나 저쨌거나 정직원이 된 날이다. 취하지 않고는 견딜 수 없었다.

그렇게 부어라 마셔라 술 파티가 시작되었다.

그 후 시간이 흘러 새벽 2시, 술에 취한 직원들이 눈물 어린 감사 인사를 연신 하고 돌아간 뒤 조용해진 집에서 잠을 취하던 김 대리가 눈을 번쩍 떴다.

눈을 비비며 잠기운을 쫓은 그는 방에 불도 켜지 않은 채 옷장에서 커다란 스포츠백을 꺼내 들었다.

쿵!

"……빠트린 건 없지? 음. 다 챙겼어."

지난 1년간 정들었던 집을 쭉 훑어본 그는 현관문을 열고 나섰다.

찰칵! 치익!

담배를 입에 물자 헤드라이트도 켜지 않은 자동차가 집 앞에 선다.

김 대리는 트렁크에 스포츠백을 던져 넣고 뒷좌석에 올라탔다. 운전석엔 파견 직원이, 뒷좌석과 보조석엔 지원과 직원들이 앉아 있었다.

"빠트린 거 없이 다 챙겼습니까?"

"예. 노트북, 컴퓨터 본체, 영수증 빠트린 건 하나도 없습니다."

"돈은 월요일에 은행 문이 열리는 즉시 이체될 겁니다."

해외 은행 송금 시스템이 아직은 미비한 러시아.

이 부분만 빼면 모든 게 완벽했다.

어차피 일이 잘못됐단 걸 깨닫는다고 해도 목요일이 될 테니 별 의미는 없었다. 저들이 그걸 깨달을 땐 돈은 이미 모두 인출되어 흔적조차 찾을 수 없게 될 테니 말이다.

고개를 끄덕인 김 대리는 직원들에게 악수를 청했다.

"여러분들의 수고 덕분에 목표했던 금액을 일찍, 그것도 초과 달성을 할 수 있었습니다."

본디 시뮬레이션 프로젝트라 최소 2년을 기한으로 잡았다.

그런데 1년 일찍 끝났다.

종혁이 예상했던 대로 대략 1년 만에 프로젝트를 끝낸 거다.

사람들은 그들의 예상보다 더 빨리 돈에 미쳤고, 파리 지옥처럼 부모와 형제, 지인을 끌어모았다.

"지난 1년간 정말 수고 많으셨고, 서울에 도착하면 진하게 한잔합시다."

막대한 보너스와 휴가가 예약되어 있다.

한 잔, 아니 앞으로는 몇 잔이라도 마실 수 있었다.

그들의 몸이 흥분으로 떨렸다.

"김 대리님도 정말 수고 많으셨습니다."

"그냥 다 수고했다고 하시죠?"

"그럴까요?"

그들은 혹여 주민들을 깨울까 소리 낮춰 웃었다.

"자, 그럼 출발합시다."

이제 그들은 근처 대도시에서 대여한 비행기를 타고 블라디보스토크로 가서 밀항을 할 예정이었다.

러시아에서 감쪽같이 증발을 하는 거다.

스르르륵!

차가 출발하자 김 대리는 창문을 내려 담배를 던졌다. 더 이상 여기에 남길 건 쓰레기 밖에 없다는 듯.

빨간 불똥이 짙은 밤에 그림을 그렸다.

그런 김 대리는, 조직원들은 몰랐다.

멀리서 그들의 차를 뒤쫓는 이들이 있다는 걸.

그리고 모두 잠들었다 여긴 마을 주민들은 결코 자고 있지 않다는 걸.

부우우웅!

달리는 차 안, 다리를 꼬고 앉은 나탈리아가 핸드폰을 들었다.

"광산 인부들과 지사 직원들 모두 확보해. 지사 직원은 201호에 있는 요원의 도움을 얻으면 더 수월하게 확보할 수 있을 거야."

일라이자 채굴 러시아 지사에서 인근 대도시에서 직원을 모집한다기에 겨우 두 명 넣을 수 있었다.

즉, 김 대리들이 챙긴 노트북과 본체에 있는 자료들은 진작 확보를 끝내 놨단 소리였다.

-러시아에 영광을.

전화를 끊은 나탈리아는 종혁을 봤다.

김 대리들을 태운 차가 보일 리가 없는데도 앞창을 뚫어져라 쳐다보고 있는 종혁.

"한숨 자요. 놈들을 잡을 때까지 시간이 많이 남았으니까."

인근 대도시에서 비행기를 타고 블라디보스토크에 가서 밀항할 거라는 정보까지 확인했다. 관제탑 직원에게 뇌물까지 줘서 이륙했다는 기록조차 남지 않을 비행기.

놈들은 정말 치밀했다.

'대체 어디서 이런 놈들이 나온 걸까?'

하는 짓이 정보국 뺨을 치는 수준이다.

그녀는 더욱 이 조직의 정체가 궁금해졌다.

한편 종혁은 그녀의 말에 고개를 저었다.

이제 늦어도 나흘 안에 놈들을 잡을 수 있다. 정식 절차를 밟아 교도소에 가둬 놓고, 심도 깊게 추궁할 수 있다.

그 모습이 눈앞에 아른거리는데 잠이 올 리가 없었다.

심장이 벌렁벌렁 뛰어 가슴이 답답해진 종혁은 차창을

내리며 담배를 물었다.

'이제 정말 얼마 남지 않았네.'

놈들의 정체를 알아낼 시간이.

작게나마 복수할 시간이.

그러나…… 진짜 복수하고 싶은 놈은 따로 있었다.

'어머니와 날 죽인 그놈!'

사지를 찢어 잘근잘근 씹고 싶은 놈.

곧 확보할 몸통에 놈이 있을 거다.

종혁의 주먹이 기괴한 소리를 내며 쥐어졌다.

* * *

철썩, 철썩!

파도가 치는 새벽 바다를 가로지르던 거대한 그림자, 아니 화물선이 서서히 속도를 줄이다 멈춘다.

그러자 불을 끈 채 바다 위에 떠 있던 낚싯배 한 대가 다가가며 불을 켠 손전등을 흔들었다.

화물선 갑판에서도 불빛이 깜빡인다.

"우리가 약속한 건 여기까지요. 수고하셨소."

갑판 위, 덩치 큰 러시아 노인이 손을 내밀자, 모자와 마스크를 쓴 김 대리가 그 손을 맞잡았다.

다른 직원들도 같은 차림이다.

"덕분에 편히 왔습니다. 그런데 저희 말고 다른 사람도 있던 것 같던데, 약속과 틀리지 않습니까?"

“이 큰 배에 당신들만 태울 수 있나. 기름값 아깝게. 양양에서 내릴 사람들이니 신경 끄시오.”

혀를 찬 김 대리는 고개를 끄덕였다.

여기서 소란을 피워 봤자 손해를 보는 건 자신들이다. 선원들이 죄다 AK 소총을 들고 있기에 김 대리는 더 이상 신경을 건드리지 않기로 했다.

“언제든 또 이용해 달라고, 동지들.”

피식 웃으며 돌아선 그는 사다리를 타고 내려가 낚싯배에 몸을 실었다.

“출발합시다.”

누가 봐도 의심스런 옷차림이지만, 애초부터 불법인 일이라 호기심을 끈 선장은 배를 출발시켰다.

오늘 이 근처로 해경이 순찰을 돌지 않는다는 걸 알고 있기에 선장은 화물선에서 멀어지자마자 전속으로 달렸다.

부아아아앙!

배가 파도를 가르며 육지로 향했다.

두두두…… 둥.

엔진을 끈 배가 작은 선착장에 정박한다.

“오느라 수고하셨소. 여기 이것들 챙겨 가시고.”

불이 죄다 꺼진 작은 마을의 선착장에 멈춰 선 선장이 낚시가방 두 개를 던졌다.

물고기 비린내가 가득하고 더러운 낚시가방.

“단속은 없을 테지만 혹시 모르니까.”

마을에 불이 꺼졌다고 해도 아직 잠들지 않은 사람이

있을 수 있었다.

"서비스가 좋군요."

"받은 만큼 하는 거지. 또 이용해 주쇼."

고개를 끄덕인 김 대리는 배에서 내려 선착장 입구 옆에 세워진 검은색 승합차로 향했다.

회사에서 미리 보내 놓은 차다.

그 순간.

드르륵!

갑자기 승합차의 뒷문이 열렸다.

몸이 굳는 그 찰나의 순간에 온갖 생각을 다 하던 김 대리는 눈을 동그랗게 떴다.

"과, 과장님?"

"왔냐? 수고했다."

생각지도 못한 얼굴.

"과, 과장님이 여길 어떻게?"

본래 예정된 계획은 이 차를 타고 수원으로 가서 과장과 합류하는 것이었다. 저녁 갯바위낚시를 하기 위해 외지의 낚시꾼들이 타고 온 걸로 꾸민 차량을 타고.

"타지에서 고생한 내 새끼인데 마중은 나와야지. 고생 많았다, 김 대리. 아니, 정석아."

"과장님……."

울컥한 김 대리는 숨을 깊게 마셨다.

그는 뜨거워지는 눈시울을 감추고자 말을 돌렸다.

"큼. 그런데 분위기가 싸하네요."

"밤에 오는 시골 선착장이 다 그렇지, 뭐. 가자. 얼른 가서 얼큰한 국물에 소주 한잔해야지."

"국물!"

러시아에서 생활하는 동안 가장 괴로웠던 건 아무래도 음식이었다. 정말 얼큰한 알탕에 소주 한잔이 간절했었다.

김 대리와 다른 직원들의 침이 꼴깍 넘어갔다.

"뭐야, 반응들이 왜 이렇게 격해? 김치나 장 같은 거 많이 보내 줬잖아."

"그래도 직접 식당에서 먹는 것만은 못하죠."

"오, 그러면 내가 이걸 사 오길 잘한 것 같네. 이것도 그리웠지?"

과장은 잔뜩 기대하는 얼굴로 뒷좌석에 있던 커다란 보온병을 꺼내 내용물을 보여 줬다.

"……아, 믹스커피는 많이 마셨는데."

한국산 캔커피의 영향 때문인지 러시아 마트에선 믹스커피도 팔았다.

"닥쳐. 그냥 처먹어."

"하하, 옙!"

김 대리와 세 명의 직원들은 미지근한 믹스커피를 단숨에 원샷 했다.

"크-!"

분명 러시아에서도 많이 마신 믹스커피인데, 오늘따라 왜 이렇게 단지 몰랐다.

그런 그들을 보며 흐뭇이 웃은 과장은 운전석에 올라탔다.

"다들 오느라 수고했으니 운전은 내가 할게."
"예? 아, 아뇨. 제가……."
"됐어, 인마. 뒤에 타기나 해. 괜히 보조석에 졸지 말고. 나 그런 예의 없는 짓 용납 안 하는 거 알지?"
"……죄송합니다."
솔직히 화물선 구석에 숨어서 오느라 힘들었다.
거기에 커피까지 마시자 몸이 나른해졌다.
아무래도 한국에 무사히 도착했다는 안도 때문인지도 몰랐다. 커피가 달았던 이유도 그 때문일 것이다.
몽롱하게 웃은 그들은 뒷좌석에 올라탔고, 과장은 차를 출발시켰다.
부우우우웅!
그렇게 얼마나 달렸을까.
"드르렁! 커어어!"
코골이 소리만 가득한 차 안.
천근만근인 눈으로 스쳐 지나가는 풍경을 보던 김 대리가 갑자기 서글피 웃었다.
"과장님."
"왜?"
"오늘……저 은퇴당하는 겁니까?"
움찔!
"헛소리하지 말고 잠이나 자, 인마."
'헛소리가 아니잖아요.'
정신이 너무 몽롱하다. 잠을 깨려 허벅지를 꼬집는데도

깨기는커녕 더 몽롱해진다.
몸에 감각도 없다.
'그 커피겠지.'
믹스커피에 약을 탄 거다.
그러니 같이 온 직원들도 모두 골아떨어진 거다.
왜냐는 의문이 떠올랐다가 가라앉았다. 조직에서 은퇴를 시킨다면 그만한 이유가 있는 거니까.
그렇게 배웠으니까.
'그래도 과장님이 은퇴시켜 줘서 다행이네. 부디 조금만 괴로워하세요.'
"과장님."
"왜?!"
김 대리는 웃음은 더 짙어졌다. 삑사리가 났기 때문이다.
"안녕히…… 주무십시오."
"……그래. 잘 자라. 좋은 꿈 꾸고."
'네. 정말 안녕히…….'
김 대리는 대답도 못한 채 목이 꺾여 잠들었다.
"드르렁!"
등 뒤에서 들려오는 코 고는 소리에 과장은 이를 악물었다.
"바보 같은 놈…… 욕심이 났으면 그런 실수라도 하지를 말지."
과장은 담배를 물며 창문을 내렸다.
거리에서 주웠지만 자식처럼 키운 김 대리. 아니, 정석이.

가슴이 너무 쓰려 담배가 고팠다.

차는 그들 조직의 강원도 수련원으로 향했다. 대리 정도는 달아야 겨우 사용 용도를 알게 되는 소각장으로.

과장은 저 뒤에 꼬리를 단 채 그곳으로 향했다.

* * *

"으드드드드!"

커다란 화물선의 위.

기지개를 편 종혁이 김 대리들을 태운 채 멀어지는 낚싯배를 응시하며 담배를 물었다.

'이 짓은 또 처음이네.'

밀수 및 밀항 조직을 일망타진하기 위해 해경의 도움을 빌린 적은 있어도, 밀항선을 타고 국경을 넘은 적은 처음이었다.

탕캉! 탕캉!

구두가 철판을 밟는 소리를 내며 나탈리아가 다가왔다.

뒤를 돌아본 종혁은 담배를 깊게 빨았다.

철컥! 철컥!

어깨에 걸친 붉은색 코트를 흩날리는 나탈리아와 선장 등 선원들에게 총을 겨누고 있는 러시아 요원들.

검은 옷에 검은색 방탄조끼, 헬멧을 쓴 특수 부대다.

방금 전 김 대리를 상대할 때와 달리, 잔뜩 겁을 먹은 선장과 선원들이 무릎을 꿇은 채 양손을 머리 위로 올리고 있었다.

'빌어먹을! 그냥 마피아인 줄 알았더니!'

러시아에서 죄를 저지르고 도망치는 러시아 마피아 일당인 줄 알고 태웠는데, 거부할 수 없을 만큼 막대한 돈을 내밀기에 숫자가 많아도 대수롭지 않게 태웠는데 저 승사자였다.

'KGB!'

지금은 역사의 뒤안길로 사라져 SVR, FSB 따위로 불리는 러시아의 악몽이었다.

'이럴 줄 알았다면 가방이라도 검사할걸!'

이들이 들고 타던 가방이 크고 무거워 보이기에 돈이나 총기류 따위가 있을 거라고만 생각했던 선장.

배 안에서 허튼짓하면 바다에 던져 버리겠다고 경고만 하고 신경을 껐던 선장은 소음기를 단 총구를 보며 절망했다.

"저 사람들은 어떻게 되는 겁니까?"

"본국으로 귀환하면 처벌을 받겠죠."

오늘 한국에 들어올 러시아 경찰들이 부산경찰청 형사들과 공조를 이루어 검거한 후 러시아로 압송할 거다.

종혁은 고개를 끄덕였고, 나탈리아는 물고 있던 담배를 바다로 던졌다.

부아아앙!

저 멀리서 라이트를 끈 배가 다가와 화물선 아래에 섰다.

"부산까지 잘 안내해 드려."

척!

거수경례를 했다가 다시 선장들에게 총구를 겨눈 요원들을 뒤로한 종혁과 나탈리아는 늘어진 사다리를 타고 내려갔다.

"오시느라 수고 많으셨습니다, 지부장님. 그리고 최."

고개를 끄덕인 나탈리아는 다시 담배를 물었다.

"상황은?"

"과장이라는 자가 움직였습니다."

움찔!

종혁과 나탈리아는 서로를 봤다. 둘의 입술은 어느새 비틀려 있었다.

"먹이를 물었네요."

"예. 물었네요, 완벽하게."

징벌 마을에 있던 요원들은 종혁이 제시한 의견에 따라 김 대리의 컴퓨터에 작은 수작을 부려 놓았다.

김 대리가 어떤 파일을, 예를 들어 결산 내용 파일을 저장하면 그 숫자가 미묘하게 달라지게끔 말이다.

달라져 봤자 1루블, 10루블. 많게는 100루블 단위로. 단순한 계산 착오라고 생각할 수 있을 만큼의 단위만 바뀌지게끔.

하지만 이게 한 번이 아니라 두 번, 세 번 반복되면?

그때부턴 그 어떤 조직이라도 의심이 들 수밖에 없다.

'돈에 미친 이놈들이라면 더 그렇겠지.'

대전 어린이 사건 때 돈을 회수하고자 그 어린 것을 죽이려 들 만큼 돈에 대한 집착이 엄청난 놈들이다.

그런데 조직의 일원 중 한 명이 돈을 착복하는 것 같다는 의심이 든다?

'처음 한 번은 실수한 것 같다고 피드백을 줬겠지.'

하지만 그 이후 똑같은 일이 벌어졌을 때 과장이란 존재는 그에 대해 일언반구조차 않았다. 지금까지 총 다섯 번의 조작을 했는데도.

그런데…….

"결국 이날을 위해 입을 다물고 있었나 보네요."

이제 과장은 종혁이 예상한 대로 김 대리가 착복한 돈이 어디 있는지 김 대리를 추궁을 하기 위해 어딘가로 향할 것이다.

종혁은 필터까지 탄 담배를 바다로 던졌다.

"출발하죠."

이제 정말 얼마 남지 않았다.

* * *

부우웅!

강원도 깊은 산골의 한 수련원으로 승합차가 들어선다.

입구에서 수색을 받은 승합차는 넓은 잔디 운동장 옆에 난 길을 따라 올라가 새벽임에도 불이 켜진 커다란 3층 건물 입구에 멈춰 섰다.

그러자 입구에서 덩치 큰 사람들이 우르르 몰려나오더

니 뒷문을 열고 김 대리들을 끌어냈다.

그들이 안쪽으로 사라지고 나서야 운전석 문을 열고 나온 과장은 한숨을 길게 내쉬었다.

구름이 잔뜩 끼어 달빛조차 찾을 수 없는 새벽하늘이 마치 그의 마음을 대변하는 것 같았다.

딱! 딱!

"오시느라 수고 많으셨습니다."

지팡이를 짚고 나온 칠십대 노인이 푸근히 웃자 과장은 그를 향해 고개를 숙였다.

이 수련원, 아니 연수원 및 소각장의 주인.

그들 조직의 간부는 아니지만, 고위 간부도 함부로 할 수 없는 인물이다.

"미리 연락드렸던 서울 3지부 영업 4팀 정지만 과장입니다. 늦게 도착해서 죄송합니다."

조금이라도 더 김 대리의 얼굴을 보고자 속도를 늦췄다.

"아닙니다. 딱 맞춰서 오셨습니다. 어느 지부와 다르게."

과장은 눈을 동그랗게 떴다.

"그런 간 큰 지부도 있습니까?"

"예. 몇 달 된 일이지만 리셋을 예약한 어떤 지부가 그러더군요."

"으음."

조직의 연수원이자 은신처이며, 성형으로 인생의 리셋을 준비하는 장소이기도 한 이곳.

-칙! CCTV 이상 없습니다.

작은 불쾌함을 내보였던 노인은 귀에 낀 이어폰에서 들려오는 말에 이내 언제 그랬냐는 듯 사람 좋게 웃었다.

"이제 나머지는 저희에게 맡겨 주십시오."

과장은 눈을 질끈 감았다.

이제 김 대리는 이곳에서 빼돌린 돈의 행방을 추궁받은 이후, 그가 살았다는 흔적조차 남기지 못한 채 세상에서 사라지게 될 거다.

과장은 뜨거워지는 눈시울을 감추고자 다시 고개를 숙였다.

"……잘 부탁드리겠습니다."

"걱정 마십시오. 편히 보내 드릴 테니."

딱! 딱!

과장은 안으로 들어가는 노인을 응시하다 몸을 돌리며 핸드폰을 들었다.

"예, 부장님. 영업 4팀 정 과장입니다. 지금 김 대리와 지원부 직원들, 러시아 파견 직원 모두 연수원에 넘겼습니다. 예, 그럼 내일까지 남은 팀원들과 함께 복귀하겠습니다. 통장도 함께. 예."

전화를 끊은 과장은 다시 승합차에 올랐고, 차는 연수원을 빠져나갔다.

한편 높다란 잡초 풀 사이에 숨어 적외선 쌍안경으로 어둠이 내려앉은 2차선 도로를 응시하던 종혁은 머리를 긁었다.

"이건 예정에 없던 상황인데……."

안가나 아지트로 김 대리를 데려갈 건 예상했지만, 그 장소가 이런 강원도 산골일 거라곤 예상 못했다.

국도를 달리다 옆으로 빠지고 저쪽으로 꺾고, 그러다 결국 도착한 이곳 사거리.

우회전을 해서 놈의 뒤를 쫓아야 하는데, 핸들을 돌릴 수가 없었다. 20미터 앞, 어둠 속에서 반짝이는 빨간 불빛 때문이었다.

'이런 길에 CCTV가 있다고?'

라이트를 끄고 미행하느라 발견할 수 있었던 CCTV의 빨간 불빛. 가로등조차 없는데 CCTV는 있다.

고속도로 과속 카메라조차 듬성듬성 있는 이 시기에.

어떻게 생각해 봐도 이상했다.

아니, 치밀했다.

이럴수록 이 길의 끝에 있을 장소가 그 조직에 중요하단 걸 확신하게 된다. 그래서 차들을 뒤로 쭉 빼서 일단 숨긴 후 이렇게 잡초 풀에 숨어 대기 중이었다.

"이걸 따? 말아?"

종혁은 고개를 저었다.

'어차피 김 대리를 바로 죽이진 못해.'

김 대리는 자신이 보낸 파일 속 숫자가 달라진 걸 모른다. 징벌 마을에서 파일을 열면 원래 저장한 숫자로 나오게 만들었기 때문이다.

징벌 마을의 요원들이 김 대리들의 컴퓨터에 깔아 놓은 건 그런 프로그램이었다.

그러니 김 대리가 할 수 있는 말은 '그런 적이 없다'다.

혹여 고문을 받는다고 해도 그런 적이 없다는 말밖에 할 수 없다. 그럼 이 과장이란 놈이 취할 수 있는 행동은 몇 개 없다.

계속 추궁을 하든지, 아니면 그 아지트에 있을 누군가에게 맡긴 후 원래 있던 수원의 사무실로 향하든지.

"그것도 아니면 네 위에 있는 놈에게로 향하든지."

김 대리를 마중 나온 놈이 김 대리에게 과장님으로 불렀다.

대리와 과장.

사원, 지원부, 파견 직원.

그들은 서로를 그렇게 불렀다.

이들이 정말 회사의 직급 체계를 따른다면 위에 부장, 사장이 있을 수밖에 없다.

아니, 있다.

부장이란 존재가.

나탈리아가 수원에 있는 놈들의 사무실을 알아낸 후 도청을 하다 겨우 알아냈다. 과장 위에 부장이란 존재가 있다는 걸.

종혁이 노리는 건 바로 그들이었다.

그런 생각을 하는 종혁에게 나탈리아가 다가왔다.

"떴어요. 이 길에 있는 건물이라곤 딱 하나뿐이더라고요. 이름 한빛 비즈니스 수련원. 소유주 김길상. 72세. 그런데……."

—칙!

나탈리아는 귀에서 들리는 무전 소리에 얼른 입을 다물었다.

—차가 그쪽으로 향합니다.

CCTV를 피해 도보로 추적에 나선 요원의 무전.

'뭐? 이렇게 빨리?'

당황스러웠지만 종혁은 일단 다급히 몸을 낮췄다.

'뭐야? 뭐가 어떻게 돌아가는 상황이야?'

분명 김 대리와 다정하게 통화했던 과장이다.

그런 모습을 비추어 보면 이렇게 빨리 되돌아오는 건 말이 안 된다. 정을 준 사람이 배신했다면 그 이유를 듣고 싶은 게 사람의 본성이니까.

혹여 영화에서나 나오는 자백제 같은 걸 썼다 한들 이렇게 빨리 벗어날 수는 없다.

'그렇다면 한빛 비즈니스 수련원이란 곳에 김 대리들을 던지고만 왔다는 건데…….'

아님 그곳에 도착하기 직전 유턴을 했거나.

현 상황에서 내릴 수 있는 결론은 고작 이 두 가지밖에 없다.

"최!"

나탈리아가 그의 이름을 부르는 순간, 2차선 도로의 어둠 속으로 사라졌던 차가 다시 나타나고 있다.

"최—!"

어떡할 건지 묻는, 작지만 다급한 부름.

승합차의 뒤를 쫓을 건지.

아니면 한빛 비즈니스 수련원을 덮칠 건지.

이를 악문 종혁은 입을 열었다.

"나는……."

* * *

아침 8시 반.

사우나 스킨으로 얼굴을 두드린 과장이 거울을 본다.

술 한 잔 마시지 않았지만, 금방이라도 쓰러질 듯 초췌한 얼굴.

"쯧."

땀 냄새를 풍기는 와이셔츠 단추를 잠근 그는 사우나를 빠져나와 회사로 향했다.

"과장님!"

회사 입구에서 뻐끔뻐끔 담배를 피우던 팀원들이 굳은 얼굴로 과장을 맞이했다. 그들도 김 대리가 어떻게 됐는지 알기 때문이다.

"……수고 많으셨습니다."

"괜찮으십니까?"

과장은 평소처럼 농담으로 다독이고 싶었지만, 이번만큼은 차마 입이 떨어지지 않았다.

입을 꾹 다문 그는 팀원들의 어깨를 두드렸다.

"들어가자."

5층짜리의 큰 건물 안으로 들어온 그들은 엘리베이터를 타고 4층 사무실로 향했다.

3층부터 5층까지 쓰는 빅 인터내셔널 무역 상사.

총 사원수 35명에, 부서라곤 영업부와 지원부, 자재부만 있는 이상한 회사.

“어? 정 과장님 다시 출근하셨습니까?”

“오오! 그러면 시뮬레이션 프로젝트를 성공하신……! 축하…… 흡?”

“하하. 죄송합니다. 그럼.”

쓸데없는 말을 지껄이는 이들을 무시한 그들은 기이하게 고요한 사무실을 가로질러 그들의 자리로 향했다.

사무실 맨 끝.

천장에 달린 영업 4팀이란 팻말이 그들을 반긴다.

털썩!

먼지 하나 없는 책상에 통장 몇 개를 던진 과장은 사무실을 둘러보다 혀를 찼다.

한 명 빠진 자리가 왜 이렇게 크게 느껴지는지.

띠리링! 띠리링!

“영업 4팀 정지만 과장입니다.”

—출근했으면 넘어와.

“예. 통장 챙겨서 올라가겠습니다.”

전화를 끊고 통장을 챙긴 그는 사원들을 봤다.

“부장님 뵙고 올 테니까 보고서 준비해.”

“……다녀오십시오.”

고개를 끄덕인 그는 4층 가장 안쪽 영업부 부장 사무실로 향했다.

똑똑!

문을 열고 들어가니 오십대 후반의 단단한 몸을 가진 부장이 정장 재킷을 입다가 고개를 돌렸다.

"……잠은 잤냐?"

울컥!

"괜찮…… 습니다."

"괜찮긴. 곧 뒈지겠구만. 보고서 올리고 반차 써. 아니, 이번 주는 나오지 마."

"……예."

"그래. 그럼 가자."

그들은 5층의 지부장실로 향했다.

똑똑똑!

"지부장님, 영업부 박 부장입니다."

"들어와."

문을 열고 들어가니 육십대의 노인이 난의 잎을 닦다가 쳐다본다.

과장에게 통장을 넘겨받은 부장이 그 통장을 지부장에게 내밀었다.

투르르.

통장들의 맨 끝장만 살핀 지부장의 눈이 번들거렸다.

그만큼 엄청난 숫자였다. 올해뿐만 아니라 조직의 역사를 통틀어도 최고 수익이었다.

서울 3지부가 모든 지부들 가운데 매출 톱을 찍는 거다.

고개를 주억거린 그는 서랍에서 두툼한 봉투를 꺼내 통장들과 함께 내밀었다.

"보너스 30억이야. 팀원들과 나눠."

30억이란 말에 부장의 눈이 부릅떠졌다. 과장도 놀란 건 마찬가지였다.

"김 대리를 자식처럼 생각했다며? 말이 아닐 속을 돈으로 후려치는 것 같지만 어쩌겠어. 다 먹고살자고 하는 짓인데. 그 돈으로 김 대리 가족 챙겨."

이런 거금을 챙겨 줘도 영업 4팀이 벌어들인 수익에 비하면 새 발의 피도 안 된다.

"박 부장은 따로 챙겨 줄 테니 욕심내지 말고."

울컥!

과장은 결국 눈물 한 방울을 보였다.

"죄, 죄송합니다! 가, 감사합니다!"

부장도 말없이 고개를 숙였다.

"그래, 수고했어. 점심 먹기 전까지 보고서 올리고…… 음?"

지이잉!

핸드폰 문자를 확인한 지부장의 얼굴이 딱딱하게 굳었다.

"노…… 출?"

−막아!

−씨발! 재껴!

−올라가게 두지 마!

순간 밖을 응시한 지부장과 부장이 과장을 죽일 듯 노려봤다.

경찰이다. 영업 4팀이 복귀한 이 시기에.

"너 이 새끼……!"

콰앙!

지부장실 문이 열리며 웬 남성들이 진입했다.

지부장과 부장 과장은 그들을 보며 고개를 모로 기울였다.

"안녕하세요. 만나서 반갑습니다, 씹새끼들아."

* * *

픽!

전등 하나만 켜진 공간에 웃음소리가 퍼졌다.

천장까지 타일이 붙은 공간. 코를 찌르는 락스 냄새 사이에 숨어 있는 꿉꿉한 피 냄새.

침대에 사지와 머리가 결박되어 눕혀진 김 대리는 다시 웃음을 흘렸다.

"좆같네. 씨발."

그는 이 공간을 알고 있다.

고문실.

대리를 달고 연수를 왔을 때 봐서 안다.

이 공간에 들어오기 싫으면 조직에 충성하고, 배신하지 마라.

그런 의미로 보여 주는 곳이다.

'왜일까?'

삶의 은인이자 아버지였고, 우상이었던 과장이 은퇴를 시키려 했기에 덤덤히 받아들였지만, 이 공간에 누워 있자 의문이 들었다.

'회사는 대체 왜 날 은퇴시키려는 걸까?'

아니, 정확히는 왜 고문을 시키려는지 이해가 안 됐다.

덜컹! 끼이익!

딱! 따악!

'김 원장?'

이 연수원에서 나무 따위가 바닥을 때리는 소리를 내며 나타나는 인물은 김길상 원장 한 명뿐이다.

"호. 침착하군. 특이한데?"

보통 저 자리에 누워 있으면 백이면 백 잘못했다고 살려 달라고 다 말하겠다고 발버둥 친다. 처음엔 이 악물고 버티던 놈들도 36시간 안에 그렇게 변한다.

결단코 지금처럼 이렇게 침착한 배신자를 본 적이 없었다.

김 대리는 냉소를 지었다.

"회사의 결정이잖습니까. 뭐든 말할 테니 얼른 은퇴시켜 주시죠. 아, 그 전에 담배 한 대만 좀 주시겠습니까? 갈 때 가더라도 담배 한 대는 괜찮잖아요."

김길상은 미친놈이라며 고개를 저었다.

하지만 이 정도로 포기했다면 줘도 상관없을 듯했다.

"그러지. 솔 괜찮은가?"
"그게 아직도 나옵니까?"
김길상은 대답 대신 솔을 김 대리의 입에 물려 줬다.
찰칵! 치이익!
"후우."
생애 마지막 담배라 생각하니 맛이 참 엿 같았다.
김 대리는 킬킬 웃었고, 허공에 흩어지는 담배 연기를 본 김길상은 구석에 세워진 의자를 끌고 왔다.
그리고 김 대리가 퉤 담배를 뱉자 입을 열었다.
"왜 그랬나?"
"뭘요?"
"왜 회사의 돈을 횡령한 거야?"
"……예?"
미간이 좁혀졌던 김 대리의 몸이 펄떡였다.
"잠깐 내가 횡령을 했단 말입니까? 왜요?"
"……쯧. 자네도 결국 여길 스쳐 간 놈들과 똑같았구만."
이젠 단종되어 아껴 피우는 솔 담배가 너무 아까웠다.
"아니, 씨발! 내가 왜 횡령을 하냐고!"
차라리 일이 커질 수 있으니 꼬리를 자르겠다는 거라면 얼마든지 겸허하게 받아들일 수 있다.
어차피 거리를 떠돌다 굶어 죽든, 아니면 깡패 나부랭이가 되든 둘 중 하나가 됐을 삶을 과장이 구해 준 거니까.
회사 덕분에 곰같이 귀여운 아내와 여우같이 잔망스런 자식들도 얻었으니까.

그 은혜를 갚는다 셈 치면 얼마든지 죽어 줄 수 있다. 물론 억울하고 미련이 남을 테지만 은퇴를 받아들일 수 있다.

하지만 횡령이라니?

이건 아니다.

이건 억울했다.

"설령 내가 나조차도 모르게 횡령을 했다 쳐도 사실 확인 정도는 할 수 있잖아!"

그의 속마음은 어느새 입 밖으로 튀어나왔다.

배신이다. 이건 회사가 배신한 거다.

"충성한 대가가 고작 이런 누명이라고?!"

"그래. 그럼 시작하지."

몸을 일으킨 김길상은 고문실 입구의 버튼을 눌렀다.

그러자…….

두두두두!

"음? 왜 이렇게 급하게……."

끼아악!

거칠게 철문을 열며 등장한 비닐 앞치마를 걸친 사내가 김길상에게 귓속말을 했다.

"뭣?! 서울 3지부가 노출됐다고?"

그것도 러시아 일을 마친 김 대리를 은퇴시키기 위해 데려온 이때에.

김길상은 다급히 김 대리를 봤다.

"너 이 새끼! 대체 뭔 꼬리를 달고 온……."

일그러지던 김길상의 표정이 딱딱하게 굳었다.

–막아!

–죽여!

–자료부터 소각해!

시끄러워진 바깥.

하지만 그보다 더 거슬리는 게 있다.

터엉! 터터터텅!

귀를 터트리는 게 아니라 묵직하게 두드리는 소리.

총이다. 소음기를 단 총이 발사되는 소리다.

"무, 무슨……!"

말이 안 된다. 작전에서 총을 이렇게 쏠 수 있는 단체가 이곳에 왔다면 벌써 노출됐다고 연락이 왔어야 한다.

그러나 당황도 잠시였다.

"당장 모든 자료 소각시켜! 움직여!"

"예!"

김길상은 주머니에서 리모컨을 꺼내 눌렀다.

꽈아앙! 쿠르릉!

건물을 뒤흔드는 충격.

이내 그는 안심했다. 가장 중요한 자료가 있는 원장실은 날려 버렸으니 말이다.

김길상은 김 대리를 노려보며 갈등하다 빠져나갔다.

그 순간.

퍼엉! 퍼퍼퍼퍼펑!

"컥?!"

앞서 나갔던 직원이 허공에 피를 뿌리며 나자빠졌다.

허공에 까만 빛줄기 같은 것들이 그려진다.

고개를 돌린 김길상은 소총의 총구를 이쪽을 향해 겨눈 채 다가오는 검은색 옷을 입은 무리를 보며 경악했다.

'특공대? 아니, 아니야.'

하얀색 정장과 선글라스, 마스크를 낀 채 느긋이 다가오는 덩치 큰 사내와 붉은 코트를 입은 서양 여성.

'……러시아! KGB!'

김 대리가 갔다 온 러시아. 거기서 러시아 정보국을 건드린 거다. 어떻게 찾아왔냐는 의문은 이 상황에서 사치였다.

김길상은 다급히 지팡이를 비틀었다.

차앙!

지팡이 끝에서 치솟는 칼날.

그 순간!

덩치 큰 사내가 권총을 한 손으로 들며 방아쇠를 당겼다.

텅텅텅!

"켁?!"

총포음과 함께 오함마로 두드려 맞은 것 같은 가슴과 머리.

김길상은 고개가 뒤로 젖혀지는 충격과 함께 정신을 잃었다.

뚜벅뚜벅!

김길상을 지나친 그는 고문실 안으로 들어갔다.

그리고 침대에 결박된 채 어떻게든 이쪽을 보려 노력하는 김 대리의 턱을 잡으며 본인의 마스크를 끌어내렸다.

그리고 사납게 웃었다.

"다시 만나서 반갑다, 씹새끼야."

"……아, 아이반?!"

아니, 종혁이다.

김 대리는 경악했다.

"네, 네가 여길 어떻게?!"

* * *

한빛 비즈니스 수련원으로 향하는 길목.

어젯밤 멈춰 섰던 그 장소에서 조금 떨어진 곳에 선 종혁은 길을 따라 시선을 옮겼다.

해가 떠 환한 아침.

저 멀리 산으로 향하는 길이 희미하게 보였다.

또각또각!

"정말 몸통을 쫓지 않아도 되겠어요?"

종혁이 놈들을 얼마나 잡고 싶어 하는지 알고 있는 그녀이기에 의아할 수밖에 없었다.

산골 깊숙이 숨겨져 있는 아지트이니 무언가 중요한 단서를 얻을 수 있을 수도 있겠지만, 그보다는 부장을 쫓아 몸통을 확보하는 쪽이 더 확실할 것이 분명했기 때문이다.

"문득 그런 생각이 들더군요."

김 대리를 발견한 꾀어내기 바빠서, 그리고 만들어진 모형정원에서 김 대리가 춤추는 꼴이 재밌어서 한구석으로 밀어 뒀던 물음.

이후 약 1년이라는 시간이 흐르다 보니 그 물음이 다시 떠올랐다.

"놈들은 왜 돈에 그토록 집착하는 걸까."

그게 무척이나 궁금했다.

대체 왜일까.

이걸 알지 못하는 이상 몸통을 때려잡는다고 한들 가슴을 태우는 이 불꽃을 잠재울 수 없을 것 같았다.

그래서 이쪽을 택한 것이었다.

"아, 그래서……!"

종혁은 고개를 끄덕였다.

"원래 비밀은 믿었던 대상에게 배신당한 놈이 가장 잘 부는 법이죠."

"후후. 그래서 이렇게 정체를 드러내지 않는 거군요?"

마치 러시아 마피아처럼 하얀 정장을 입은 종혁.

선글라스와 마스크로 얼굴까지 가린 상태다.

저기 수십명 국정원 요원들에게 정체를 들키지 않도록.

김 대리라는 놈이 약간이라도 안심할 수 있도록.

마더 러시아의 친구답게 영특했다.

만족스럽게 웃은 나탈리아가 글록 권총을 내밀었다.

"탄은 고무탄이에요. 한 마리라도 더 잡아야 하잖아요."

싸늘한 쇳덩이가 손아귀에 잡히자 정신이 번쩍 든다.

고무탄이라지만 가까이에서 쏘면 살상도 가능한 무기.

탄창을 확인한 종혁은 고개를 끄덕이며 권총을 품 안에 넣었다.

그리고 복수의 불꽃에 휘발유를 쏟아 넣었다.

퍼엉! 화르르륵!

까드드드득!

—칙! CCTV 해킹 완료됐습니다.

때마침 들리는 무전.

"후우. 출발하죠."

"후후후."

더 만족스럽게 웃은 나탈리아는 러시아 요원들과 한국에서 작전을 펼치려면 어쩔 수 없이 공조해야 하기에 부른 국정원 요원들을 보며 허공 위로 원을 그렸다.

부르릉!

그들을 태운 차가 도로를 달리기 시작했다.

* * *

—감시 초소 무력화 완료.

치밀한 조직답게 CCTV뿐만 아니라 감시 초소까지 숨겨 두었다.

"후욱! 훅!"

점점 가까워지는 목적지에 머리가 뜨겁게 달아오른다.

이제 아주 잠시다.

몇 초, 아니 몇 분 뒤면 모든 게 끝난다.

'정말 끝이다.'

종혁은 앞을 보며 이를 악물었다.

저 멀리 위, 자그맣던 문이 점점 커져갈수록 악물어지는 힘이 강해졌다.

하지만 그들을 태운 차는 결코 멈추지 않았다.

그러다 결국.

콰앙! 콰자작!

쇠문과 함께 정문 감시 초소를 박살 내며 돌입한 차가 건물을 향해 달려간다. 건물에서 몽둥이나 칼 따위를 든 놈들이 쏟아져 나오는 게 보인다.

보통 경찰들은 여기서 멈춰 선다.

하지만…….

"밀어 버려."

싸늘한 나탈리아의 명령에 그들을 태운 승합차가 놈들을 덮친다.

"씨, 씨발!"

"피해!"

쾅! 텅텅!

피하지 못하고 차에 부딪쳐 날아가는 몇 명. 그와 동시에 차가 멈춰 서며 드르륵 문이 열렸다.

그에 놈들은 다시 달려들었다.

"씨발! 죽여 버려…… 어?"

종혁은 달려드는 놈을 향해 겨눈 총을 겨눴다.

용서가 필요 없는 놈들.

자비가 사치인 놈들.

종혁은 망설임 없이 방아쇠를 당겼다.

"죽어서도 반성하지 마라, 이 개새끼들아."

퍼엉!

귀를 울리는 총포음.

소음기를 달았어도 소리가 귀를 꿰뚫는다.

'역시 영화는 다 구라…….'

퍼퍼퍼퍼퍼퍼펑!

"크악! 아아악!"

"초, 총? 씨발! 뭐야, 저 새끼들!"

"몰라! 막아!"

"들여보내면 안 돼!"

"자료부터 소각해!"

누군가는 건물 안으로 도망치고, 누군가는 달려든다.

쇄악!

"최!"

느려진 시간 속, 종혁은 이쪽을 향해 정확하게 날아오는 쇠파이프를 향해 총구를 겨눴다.

퍼–퍼–엉!

고무탄을 맞은 쇠파이프가 튕겨져 나간다.

퍼퍼펑!

"크아악!"
전술 사격. 모잠비크 드릴(Mozambique Drill).
쇠파이프를 던진 놈, 달려든 놈에게 사이좋게 가슴에 두 발, 머리에 한 발씩 박아 넣은 종혁은 새 탄창을 꼈다.
"왜요?"
"……아니에요. 가요. 일단 이것부터 쓰고요."
'필요 없을 것 같은데.'
방탄 헬멧을 받아 든 종혁은 머리에 눌러썼다.
뚜벅뚜벅! 또각또각!
사위가 총소리와 고함 비명으로 가득한데 그들이 걷는 소리는 또렷했다.
그렇게 로비에 진입한 그들은 서로를 봤다.
"위? 아래?"
"아래에서부터 훑고 올라가죠."
그저 촉이 그렇게 가리켰다. 지하부터 훑자고.
보통 고문실 따위의 공간은 지하나 외진 곳에 있는 법이니까.
"국정원이랑 위에서부터 훑고 내려와. 자료 꼭 챙기고."
"러시아에 영광을!"
빅터가 국정원 요원들과 함께 계단으로 향하자, 나탈리아는 종혁을 보며 싱긋 웃었다.
"같이 가요."
"그러죠, 뭐."
둘은 계단을 따라 지하로 향했다.

러시아 요원들이 앞장서서 총구를 들었다.
뚜벅 뚜벅!
그렇게 계단을 모두 내려온 종혁은 싱긋 웃었다.
"그렇지."
한 놈이 달려 나온다.
"이러언 씨바알……."
그 순간.
오싸악!
뭔가를 감지한 종혁이 다급히 나탈리아를 덮치며 주저앉았다.
이건 본능이었다.
그와 동시에.
꽈아아아앙!
하늘을 찢는 굉음과 건물을 뒤흔드는 충격!
종혁과 나탈리아는 다급히 소리쳤다.
"모두 이상 없어?!"
-이상 없습니다!
-크! 살아 있습니다! 피해 없음!
짧은 순간. 고작 1, 2초.
그사이 정신을 차린 지하에 진입한 사람들 전부 가슴을 쓸어내렸다.
그렇다면 이제 남은 건 하나다.
퍼엉!
한 요원의 총에서 발사된 고무탄이 달려오다 멈췄던 놈

의 머리를 꿰뚫었다.

"죽어, 이 새끼야!"

하마터면 동료가 죽을 뻔했다.

종혁은 그가 달려 나왔던 공간에서 걸어 나오는 노인을, 지팡이를 비틀며 송곳 같은 걸 튀어나오게 만드는 노인을 향해 가슴에 두 방, 머리에 한 방 고무총탄을 꽂아 넣었다.

"그냥 뒈져."

이는 놈들이 날붙이 따위만 들고 있기에 폭발물을 예상 못했던 자신에 대한 반성이며 화풀이다.

그렇게 김길상을 침묵시킨 종혁은 그가 걸어 나온 문을 통해 들어갔다.

그리고 씩 웃었다.

'빙고.'

사지가 결박되어 침대에 묶여 있는 김 대리.

역시나 아직 살아 있었다.

뚜벅뚜벅 걸어간 종혁은 그 턱을 억세게 잡으며 본인의 마스크를 잡았다.

'진짜. 정말. 진짜 이렇게 보고 싶었다.'

정말 얼마나 이 순간을 기다렸는지 모른다.

누가 복수는 허망하다 했던가.

이렇게 짜릿하고 만족스러운데.

종혁은 흥분으로 떨리는 몸을 진정시킬 생각조차 안하며 마스크를 끌어내렸다.

그리고 경악에 굳어 가는 그 눈을 보며 사납게 웃었다.

"다시 만나서 반갑다, 씹새끼야."

"……아, 아이반?! 네, 네가 여길 어떻게?!"

"내가 내 돈 떼먹고 튀면 가만 안 둔댔지?"

"……!"

2장. 연말의 악몽

연말의 악몽

그 러시아의, 그것도 KGB의 후신인 SVR의 정중한 공조 요청.

러시아에서 엄청난 범죄를 저지르고 한국으로 도망친 놈들을 잡기 위해 도움을 달라는 요청에 파견된 국정원의 어느 팀장은 저 멀리 하얀 양복을 입고 있는 종혁을 보곤 침을 뱉었다.

"카악, 퉤!"

목적지를 말해 주기는커녕 핸드폰조차 쓰지 못하게 하며 끌고 온 것도 모자라, 딱 봐도 마피아로 보이는 놈, 아니 마피아 하나 때문에 소중한 요원들이 모두 죽을 뻔했다.

최종혁 덕분에 전력 증강까지 이뤄 낸 최정예 요원들을.

그만큼 생각지도 못했던 폭발이었다. 진입이 10초만 빨랐으면 정말 모두 죽었을 거다.

그나마 아무도 죽지 않고 검거 작전이 마무리되어서 다행이지, 방금 전만 생각하면 식은땀이 줄줄 흐르는 그였다.

“저 새낀 대체 빽이 얼마나 좋은 거야?”

러시아 초고위층과 연결된 게 틀림없다.

그러니 이런 비밀 작전에 따라온 것일 터다.

‘어쩌면 그렇게 위장한 비밀 요원일 수도 있지.’

날아오던 쇠파이프를 권총으로 맞춰 튕겨 낸 기적 같은 묘기. 마피아 따위가 해낼 일이 아니었다.

하지만 여기까지다.

더 이상 파고들면 왠지 골치 아파질 거라 생각한 팀장은 생각을 그만두었다.

“그나저나 이 새끼들은 뭐하는 새끼들이지?”

이런 강원도 산골에 떡하니 이런 것을 만든 것도 모자라 폭약도 망설임 없이 썼다.

이딴 놈들이 대한민국에 똬리를 틀고 있는데도 몰랐다.

아니, 그보단 러시아 요원들이 한국을 제 집처럼 돌아다녔는데도 국정원의 그 누구도 몰랐다는 것이 더 화가 나는 그였다.

–팀장님! 여기! 여기 좀 와 보세요! 이 새끼들 화장도 하는 것 같습니다!

화장. 여자가 하는 그 화장은 아닐 거다.

“씨발! 딱 기다려!”

지하에서 데려온 누군가를 데리고 승합차 안으로 들어

가는 종혁을 일견한 그는 빠르게 달렸다.

한편 김 대리를 승합차 안에 던져 놓고 문을 닫은 종혁은 멱살을 잡아 올렸다.

"내 돈은?"

"켁! 켁켁!"

종혁은 그를 다시 던졌다.

쿠당탕!

"……크흐흐."

'파견 직원 개새끼!'

멱살을 잡혀 끌려 나오는 길에 확인했다.

이 연수원을 덮친 게 경찰이 아니라, 특공대 같은 특수부대란 걸. 그것도 러시아인도 있었다.

아마도 러시아 정보부 요원일 터.

즉, 눈앞의 젊은 사내는 러시아 정보국까지 움직일 수 있는 인맥을 지닌 놈이란 소리였다.

러시아 파견 직원은 이걸 알아내지 못했던 거다.

욕이 절로 나왔다.

'이런 놈인 줄 알았다면 건드리지 않았지! 이 미친 러시아 놈들!'

어떻게 이런 일이 벌어질 수 있는지 그의 상식으로는 이해가 되지 않았다.

덕분에 살 수 있었지만, 앞으로 어떻게 될지도 몰랐다.

"어이, 내 돈."

"……몰라. 나한테 없어."

"알아. 너한테 없는 거. 그 과장이라는 놈에게 있겠지."

흠칫!

김 대리는 다급히 종혁을 봤다.

종혁은 그런 그를 보며 입술을 비틀었다.

다 끝났다. 이제 이유만 알면 정말 끝나는 거다.

몇 년 동안 속이 까맣게 타들어 가는데도 겉으론 웃어야 했던 복수를.

어서 너희 조직의 정체를, 돈에 집착하는 이유를 말하라는 말이 입술을 삐져나오려 했지만, 종혁은 겨우 누르며 시거를 물었다.

"푸후."

다시 멱살을 잡아서 끌고 온 종혁이 경악한 김 대리의 얼굴에 담배 연기를 뿜었다.

"왜? 내가 감시조차 안 할 줄 알았어? 그런 거라면 러시아에서 졸부로 산다는 게 얼마나 개 같은 일인지 몰랐다는 거야. 친구, 아니 배신자 동지."

"……."

"걱정하지 마. 너나 네 과장이나 사이좋게 러시아로 갈 테니까."

러시아. 지난 겨울 차라리 자살하는 게 낫지 않을까 싶을 만큼 지독히도 추웠던 시베리아.

김 대리의 표정이 오묘해졌다.

"그럼 어떻게 되는 거지?"

"검은 돌고래 교도소에 가겠지."

러시아에서도 악명 높기로 유명한 검은 돌고래 교도소.

가장 약한 죄목이 살인일 정도로 극악한 범죄자만 수감되는 곳인데, 수감자 전원 독방이며 하루 운동 시간은 겨우 30분.

하늘을 보거나 다른 죄수와 이야기를 나눌 수 있기는커녕 머리를 숙인 채 빈방을 뱅글뱅글 도는 게 전부이고, 하루 24시간 철통같은 감시를 받아 자살을 꿈도 못 꾸는 곳.

늙어 죽어야 나올 수 있다는 말이 있기에 러시아 범죄자라면 결코 가고 싶어 하지 않는 극악의 교도소다.

한국의 청송보다 더 인권을 상실한 곳.

종혁은 하얗게 질리는 김 대리를 보며 나지막이 말했다.

"내 돈을 들고 튄 이상 너희들에게 자유란 없어."

"……개 같네."

종혁은 김 대리의 한국어를 알아들었지만 뭐라고 했냐며 쳐다봤다.

"아니, 안 갈 순 없는 건가?"

겨우 살아났는데 그런 곳에 간다?

자살조차도 못하는 곳에?

회사의 일을 하며 메말랐던 그의 감정이 살아나기 시작했다.

그의 입술이 파르르 떨렸다.

차라리 프로젝트를 진행하다 잡혔으면 상관없다. 어떻게든 버텼을 거다.

어쩌면 그곳까지 찾아왔을 조직의 청소부를 겸허히 받

아들였을 거다.

하지만 회사가 먼저 배신한 이런 상황에서까지 그럴 순 없었다. 믿고 따랐던 사람에게 은퇴를 지시한 회사에 더 이상의 의리를 지킬 이유는 없었다.

그는 살고 싶었다.

'희정아, 애들아!'

언제든 버려야 할 상황이 올 수 있기에 정을 주지 않으려 노력했던 아내와 자식들.

그들의 얼굴이 왜 갑자기 떠오르는지 김 대리는 이해할 수 없었지만, 그들을 다시 보고 싶단 욕망이 솟구쳤다.

아버지 같았던 정지만 과장님도.

"내, 내가 뭘 하면 될까? 아니, 뭘 하면 될까요?"

종혁은 갑자기 무너지는 김 대리를 보며 눈을 가늘게 떴다.

분명 바라던 상황인데 의심부터 든다.

'너무 빠른데?'

이런 상황을 노리고서 그런 작전을 짜고 검은 돌고래 교도소를 언급했지만, 반응이 너무 격렬했다.

하지만 눈이나 신체 반응을 보면 진실인 것 같다.

종혁은 생각에 잠겼다.

"뭘 하면 되냐라……."

간절함으로 물들어 가는 김 대리의 얼굴을 보며 뜸을 들인 종혁은 이내 시거를 내려놓으며 그의 눈을 또렷이 응시했다.

“뭐, 내 작은 호기심을 충족시켜 주면 교도소를 옮겨 줄 용의도 있지.”

“호기심?”

“너희 정체가 뭐냐?”

“……?!”

“대체 뭐 하는 놈들이기에 그런 돈을 벌었던 네놈이 순순히 통장을 넘기고, 이렇게 널 제거하려 드는 거냐? 그리고 넌 또 왜 순순히 잡힌 거고?”

예상조차 못했던 질문.

김 대리의 눈동자가 풍랑을 맞은 듯 흔들렸다.

하지만 그것도 잠시였다.

“말해 주면 네 가족도 러시아로 데려가 주지.”

그 말이 결정타였다.

‘그래. 비밀을 지킬 의리는 없다.’

“우리 조직은…….”

김 대리의 입이 열리자 희열에 젖어 가던 종혁은 이내 눈을 부릅떴다.

* * *

드르륵! 쿵!

문을 닫고 나온 종혁의 몸이 순간 휘청거린다.

“아이반!”

깜짝 놀라는 나탈리아에게 다가오지 말라며 손을 내민

종혁은 돌아서며 담배를 물었다.

찰칵! 치이익!

드디어 끝났다. 정말 드디어 끝난 거다.

오열하고 포효하며 어머니께 사죄하고 기뻐해야 되는데.

정말 그래야 하는데.

그럴 마음이 들지 않는다.

'어르신.'

대가리.

머리가 있었다.

"……그래. 대가리가 있을 거라고 예상은 했어."

몸통이 있다면 머리도 있는 법.

처음부터 예상 범주 안에 넣고 있던 변수다.

김 대리의 말은 이랬다.

조직이 버는 돈은 전부 그 어르신을 위해 쓰인다고.

하지만 어르신의 정체를 아는 사람은 별로 없다고.

조직원들 대부분 어르신이 아니라, 다른 조직원에게 구함을 받아 그 은혜를 갚는 것뿐이라고!

"……그랬던가."

이 조직의 놈들이 왜 그렇게 지독했는지 이젠 알 것 같다.

소속감을 일으키는 조직의 이름조차 없이 그냥 조직 혹은 회사라고만 불리는데도 지독했던 이유를 알 것 같다.

생명과 삶을 구원받았는데, 그 은인이 곁에 있는데, 더욱이 일한 만큼 보상도 받는데 목숨을 걸지 않을 리가 없다.

저 북한 주민이 그러는 것처럼.

사이비의 광신도가 그러는 것처럼.

'모르는 사이에 세뇌를 당했다면 그럴 수도 있겠어.'

누군가를 맹신해 목숨을 초개처럼 던지는 놈들을 제법 봐 온 종혁으로선 이해할 수 없는 이야기가 아니었다.

어쩌면 이 연수원의 존재가 그런 세뇌를 하는 장소일 수도 있었다.

그런데 이렇게 이유를 모두 알게 됐는데도 후련하지 않은 이유는 뭘까.

아무래도 그 '어르신'이란 존재 때문일 거다.

"이놈을 잡으면 후련해질까?"

한참을 고민해 봤지만, 쉽사리 답은 나오지 않았다.

분명 어르신이란 놈만 남았는데 왜인지 그랬다.

"……그래. 이놈만 잡으면 그럴 수 있을 거야."

수많은 놈들을 잡았으니 그중엔 어르신에 대해 아는 놈이 분명 있을 거다.

8부 능선을 넘었다고 봐야 했다.

종혁은 애써 그렇게 찝찝한 마음을 다독였다.

"후우우."

가슴을 태워 가던 불길이 잠잠해진다.

급격히 식으며 불씨만 남긴다.

"푸후우우."

'결국 여기까지 왔구나.'

몸통을 박살 냈으니 이제 남은 건 그 어르신이란 존재와 몸통에서 뻗어 있을 잔가지뿐이다.

'이제 한숨을 돌릴 수 있으려나.'

회귀 후 수년.

그동안 이놈들 탓에 한시도 마음이 편할 날이 없었다.

그러나 이제는 마음 편히, 조금 더 어머니를 신경 쓰는 나날들을 보낼 수 있을 터였다.

'엄마랑 여행도 더 자주 가고, 좋은 분도 소개시켜 드리…… 아, 이건 빼고.'

생각만 해도 행복할 나날.

'연애도…… 해 볼까?'

회귀 전엔 범인 검거와 승진에 미쳐서, 회귀 후엔 이 조직을 쫒느라 꿈조차 못 꿔 본 연애.

지금도 딱히 생각하는 건 아니지만, 그래도 나쁘진 않을 것 같았다.

이런 저런 생각에 절로 미소가 피어났다.

그런데.

"아이반."

나탈리아가 딱딱하게 굳은 얼굴로 다가왔다.

"그쪽도 검거를 완료했다고 해요."

"오!"

종혁의 눈이 번쩍 뜨였다.

하지만 나탈리아의 얼굴은 펴지지 않았다. 어이없다는 듯 헛웃음도 터트린다.

"그런데 가장 높은 직책이 지부장이라네요."

"예?"

"지부장이요."

"……사장이 아니라요?"

나탈리아가 들고 온 노트북을 보여 준다.

그 순간 종혁의 얼굴이 딱딱하게 굳었다.

"검거한 놈들의 사진이에요. 총 32명. 원래 35명이었다는데……."

김 대리와 지원부 직원이 빠진 숫자일 거다.

그런데 죄다 처음 보는 얼굴이다.

대전 어린이 사건 때 그의 부친에게 부탁해 그린 몽타주와 일치하는 놈이 한 명도 없다.

어머니와 종혁 본인을 죽인 놈도 없었다.

"이, 이게 무슨?"

몸이 얼음보다 차갑게 식었다.

종혁은 다급히 차 문을 열었다.

"왜, 왜……."

김 대리의 눈이 데구루루 구른다.

종혁은 어이가 없어서 하 헛웃음을 터트렸다. 그 와중에도 김 대리는 이걸 숨긴 거다.

이유는 모르겠지만 수작을 부린 게 확실했다.

"까드드드득!"

얼굴이 귀신처럼 일그러진 종혁이 김 대리의 목을 움켜쥐었다.

"커허억?!"

"야, 너희 조직원 몇 명이야."

너무도 짧은 순간 박살 나 버린 희망찬 미래.
꺼져 가던 복수의 불씨에 다시 장작이 던져졌다.

* * *

국정원 비밀 안가에, 국정원 건물에 타국 요원을 들일 수 없기에 이곳 안가에 감금된 정지만 과장과 지부장 등 조직원들은 허탈하게 천장을 봤다.

독을 보석 형태로 굳혀 만든 장신구도, 어금니에 숨겨 둔 독주머니도 모두 제거당했다. 국정원, 아니 러시아 정보국이 자신들의 정체를 알고 있단 소리였다.

'대체 어떻게? 어디서?'

아무리 생각해도 이해할 수가 없다. 정지만을 미행했다고 해서 알아낼 순 없는 비밀이었으니까.

'설마 우리 중 배신자가?'

가능성이 있는 이야기다.

그런데 그보다 더 급한 게 있다.

연수원도 들통났을까 하는 의문이 아니다. 그쪽은 그쪽 나름대로 자료를 소각할 준비를 마친 곳이니까.

'이대로 끌려가면…….'

조직의 정체가 들통 난다.

지부장과 과장은 2평도 안 되는 작은 방을 둘러봤다.

자살을 방지하려는지 스펀지로 사방을 감싼 독방.

"빌어먹을!"

퍼엉!

"어?"

총소리다. 분명 소음기가 달린 총소리다.

그리고 안가가 조용해졌다.

뚜벅뚜벅!

지부장은 빠르게 다가오던 발소리가 멈춘 철문을 보았다.

스르륵!

문 중간의 좁은 배식구 문이 열리며 누군가의 얼굴 반쪽이 보이자 지부장은 기겁했다.

"다, 당신은?"

들어오는 길에 본 기억이 있다.

이곳 안가의 관리 요원.

노인이었던 걸로 기억한다.

"거참. 내가 결국 이 일을 하게 될지, 아니 자네들이 여기에 오게 될 거라곤 생각도 못했는데……."

오싹!

늙은 목소리에 담긴 뜻이 온몸의 솜털을 곤두서게 만들었다.

"대, 대체 어떻게?"

"여기가 국정원에서 요인을 많이 보호해야 되는 상황이 생기면 가장 첫 번째로 연락하는 안가일세."

"아."

'회사는 정말…… 치밀하구나.'

이런 존재가 숨겨져 있을 거라곤 생각도 못한 그였다.

"뭐 다른 곳도…… 음. 늙어서 주책이군. 아무튼 강원도 연수원이 털리고 이제 막 정리되고 있다고 해."

꿀꺽!

연수원도 털렸다면 이젠 정말 자신들만 남은 거다.

그러자 이 안가에 함께 들어온 요원들이 떠올랐다.

"다 죽였습니까?"

"설마. 그랬다간 러시아까지 우리를 쫓을 판인데 그런 멍청한 짓을 할 리 없잖은가. 그냥 재우기만 했네."

방금 전 총소리는 몸에 이상을 느낀 요원이 발사한 거다.

덕분에 시간이 없었다.

"그러니…… 자네들도 이만 자야지."

노인은 지부장에게 알약 하나를 던졌다.

지부장은 그 알약을 보며 허탈하게 웃었다.

각오하고 있었고 또 많은 이들을 은퇴시켰지만, 그 순간이 눈앞에 오자 허탈한 웃음만 나왔다.

그러자 노인의 눈빛이 날카로워졌다.

"가족들에게 뭐라 전해 주면 되겠는가?"

'빌어먹을.'

조직은 가족에게 정을 주지 말라고 가르치고 그도 그렇게 해 왔지만, 사람인 이상 어찌 그럴 수 있겠는가.

살을 맞대고 정붙이며 산 게 10년이 넘었는데.

꺄르르, 하하호호 늦둥이 자식들과 아내의 웃는 얼굴이 스쳐 지나가자 지부장은 결국 알약을 집어 들 수밖에 없었다.

"어르신께 먼저 가서 죄송하다고 대신 전해 주십시오. 그리고 우리 중 배신자가 있을 수 있으니 부디 조심하시라고도."

눈을 질끈 감은 그는 알약을 씹었다.

카드득!

지독하도록 쓴맛.

그게 그가 느낀 마지막 맛이었다.

"컥! 케헤엑!"

"……그래. 내가 살아 있다면 그렇게 하지."

스륵.

배식구 문을 닫은 그는 옆방으로 이동했다.

이젠 정말 시간이 없었다.

* * *

"하하하."

다 죽었다. 안가에 감금된 놈들이 다 죽었단다.

약을 먹고 죽은 놈도 있고, 독가스에 중독되어 죽은 놈도 있다.

그보다 더 경악스러운 건 국정원 비밀 안가에 이 조직의 조직원이 있었다는 점이다.

'이놈들은 대체!'

혹시나는 역시나가 되었다.

정말, 진짜 혹시라도 국정원에도 놈들의 손이 뻗어 있

을까 우려되어 목적지에 도착할 때까지 목적지를 말하지 않게 했다. 핸드폰 등을 쓰지도 못하게 했다.

그런데 그렇게 하기를 잘했다.

조직의 규모가 생각한 것보다 크다.

경찰청장도 움직였던 놈들이라지만, 설마하니 대통령 직속 기관인 국정원에도 사람이 심어져 있을 줄이야.

이젠 세상 그 무엇도 믿을 수가 없다.

뿌드득!

"이 개새끼들."

종혁은 러시아로 향할 전용기 좌석에 단단히 묶여 있는 김 대리와 다른 사원들을 뚫어지게 응시했다.

국정원 안가에서 발견된 과장의 다잉 메시지, 아니 피로 '미안하다'라고 써진 글자를 찍은 사진을 꼭 쥔 채 잠든 김 대리의 얼굴에 눈물 자국이 가득하다.

'이제 이놈들뿐이란 말이지…….'

믿을 구석이라곤 저들밖에 없다.

몸통이라고 생각했는데, 고작 다리 하나에 불과했다.

이럴 줄 알았다면 김길상의 머리에 고무탄을 쏘지 않았을 거다.

다행히 살았지만, 기억력에 이상이 생긴 김길상 원장.

종혁은 앞에 놓인 술을 단숨에 들이켰다.

속이 너무 타들어 가서 술을 마시지 않고는 견딜 수가 없었다.

그렇게 그들은 러시아로 향했다.

* * *

도자기나 명화들이 걸린 큰 사무실.

오십대 장년인이 누군가와 통화를 하고 있다.

점심때라서 그런지 소리가 잘 울리지 않는다.

-형배 그 친구가 그렇게 간 건가…… 허어. 그렇게 갈 친구가 아니었는데.

주형배. 서울 3지부 지부장의 이름이다.

장년인은 서울 3지부와 한빛 비즈니스 수련원이 날아갔는데도 지부장부터 찾는 '어르신'의 모습에 더 깊이 고개를 숙였다.

"아무래도 3지부가 러시아에서 일을 하다 KGB를 건드렸던 것 같습니다. 죄송합니다, 어르신."

-무얼. 그게 자네 잘못도 아니고.

러시아는 국정원이 서울 3지부와 한빛 비즈니스 수련원에 도착할 때까지 목적지에 대해 함구를 한 것도 모자라 연락조차 못하게 막았다.

결코 누구의 잘못도 아니었다.

본사조차 파악하지 못했던 일을 가지고 질책할 수는 없었다.

그렇지 않아도 안가를 관리하던 이가 서울 3지부장 등을 제거하면서 국정원 전체에 내사가 들어간 상태지 않은가.

본사조차 움직일 수 없는 상황에서 위험을 무릅쓰고 내막을 알아봐 준 게 고마웠다.

—길상이와 덕만이는 어찌 됐나.

"김 원장은 러시아로 이송됐고, 안가를 관리하던 그분은 자살을 선택하셨습니다. 김 원장은 기억에 이상이 있다니 크게 걱정하지 않으셔도 될 것 같습니다. 그 이상은 저도 더 파고들 수가 없었습니다. 죄송합니다."

이마저도 겨우 얻은 정보다. 더 파고들었다면 추적은 물론이고, 겨우 만들어 놓은 끈조차 잘렸을 것이다.

—그랬는가…….

전화기 너머로 전해지는 침묵에 장년인은 입을 다물었다.

—그래서, 일을 이 지경으로 만든 놈은 누군가?

움찔!

갑자기 무정해지는 목소리.

하지만 장년인은 몸을 굳혔더라도 놀라지는 않았다.

방금 전 조직이 입은 손해보다 사람부터 찾았지만, '어르신'의 본성은 이런 맹수라는 걸 알고 있었기 때문이다.

"아이반이라는 러시아 졸부가 이 일의 원흉인 것 같습니다. 3지부의 모든 자료가 날아간 상황이라 자세한 사정은……."

—졸부라 함은 배움도 없고, 교양도 없이 돈만 있는 놈들이라 알아서 적을 만들고 주인의 심기를 건드리지. 때를 봐서 지울 테니 잊으시게.

본사에서 직접 나서겠다는 말이다.

"알겠습니다. 그렇게 하겠습니다."

—그렇게 하시고. 그래, 언제 넘어올 건가?

"날 잡아서……."

—허어. 몇 년 전엔 대전에 있던 그 아이가 가더니만 이번엔…… 허허. 이렇게 점점 가는구만.

"끙. 곧 약주 들고 찾아뵙겠습니다."

—기다리겠네. 아, 그리고 곧 지방 쪽에서 큰 프로젝트를 하나 시작할 건데, 혹여 협조 요청이 들어오면 받아 주시게.

'프로젝트? 지방에서?'

장년인은 본사에서 직접 내려보낸 프로젝트라는 걸 본능적으로 깨달았다.

"예, 알겠습니다."

—그럼 수고하시게.

전화를 끊은 장년인은 전화기를 빤히 바라보다 내려놓았다.

그러곤 담배를 물며 일어섰다.

벌컥!

"2지부 관측 보고는 왜 안 들어오는 거야?"

"송 대리!"

"예!"

와이셔츠를 입은 사람들로 북적이는 사무실.

언제나 똑같은 서울 1지부의 평화로운 모습이다.

하지만 왜일까. 곧 사라질 것처럼 위태롭게 보이는 건.

지부 하나가 통째로 날아가서 그런지도 몰랐다.

"후우우."

담배 연기를 뿜은 그는 몸을 돌렸다.

일할 시간이었다.

* * *

기승을 부리던 더위가 가시고 어느덧 겨울이 왔다.

거리를 울리던 캐롤송도 사라지고, 다사다난했던 2003년도 마지막을 고하고 있었다.

그래서인지 거리엔 사람들이 평소보다 많았다.

"3차 가자, 3차!"

"어이구. 많이 취하셨어요, 부장님."

송년회를 끝낸 회사원들.

2003년이 지나기 전에는 꼭 이성을 사귀겠다며 나이트클럽으로 향하는 청춘들.

"군고구마 사세요!"

"군밤도 있어요!"

시린 발을 동동 구르며 우렁차게 외치는 군고구마 장수와 그 맞은편 군밤 장수.

따끈한 온기가 퍼지는 포장마차엔 사람들이 옹기종기 모여 뜨거운 어묵 국물을 호호 불며 마시고 있다.

술집엔 사람들이 더 북적였다.

종혁도 그런 술집에 있었다.

아직 4학년 마지막 학기가 끝나려면 멀었고, 과제도 넘쳐 나지만 나와야 할 이유가 있었다.

"집 떠나와 열차 타고……."

"야 이씨!"

친구 박수호가 군대에 입대하기 때문이었다. 그것도 가장 추울 내년 1월 초에.

놀리기 위해 시간을 내지 않을 수가 없었다.

"부모님께 큰절하고-."

"야, 강현석! 너도 그러기냐! ……어휴."

겨우 허락을 받고 종혁과 함께 나온 강현석을 노려보던 수호는 연거푸 술을 들이켰다.

"야, 밤톨! 안주도 먹어 가면서 마셔!"

만날 아옹다옹 다투던 소영은 금방이라도 눈물을 터트릴 듯한 얼굴로 안주를 챙겨 줬고, 그걸 보는 이리나의 표정도 썩 좋지 못했다.

종혁은 오늘따라 더 좁아 보이는 수호의 어깨를 두드렸다.

"걱정 마, 인마. 죽으러 가냐? 대한민국 남자라면 다 가는 거잖아. 너라면 잘할 수 있을 거다."

"맞습니다, 행님. 제가 아는 수호 행님이라믄 어딜 가서든 잘하실 수 있을 겁니더. 게다가 후방이라믄서요."

믿는다는 두 사람의 말에 작게나마 힘을 얻었던 수호는 이내 중요한 사실을 깨닫곤 얼굴을 구겼다.

"잠깐. 근데 너흰 안 가잖아. ……좋냐?"

거기까지 말한 수호는 울컥했다.

"왜 사지 멀쩡하다 못해 몸 좋은 너흰 안 가고, 나만 가는 건데! 이게 말이 되냐고!"

종혁은 꼬장을 부리는 친구를 향해 활짝 웃어 줬다.

"응, 나 금메달."

"전 졸업 후 의갱 부소대장입니데이."

빠직!

수호는 말없이 달려들었고, 곧 현석의 선에서 정리되었다.

"에헤이. 다칩니더, 행님. 에헤이. 다친다니까요? 이라다 어디 뿌사졌다꼬 군대 안 가는 거 아닙니데이."

움찔!

"……헉헉! 힘만 좋은 짱돌 자식."

"칭찬 감사!"

"아오오!"

킬킬 웃은 종혁은 수호의 잔에 술을 따라 줬다.

며칠 후면 가는 친구, 다른 건 몰라도 술만큼은 원 없이 사 줄 수 있었다.

"3차 가자! 3차…… 웨에엑!"

"하이고야. 이 행님 걸뱅이 됐뿟네. 우얄까요, 행님?"

"어쩌긴 뭘 어째. 근처 호텔에 처박아야지."

종혁은 소영과 이리나를 봤다.

얼굴이 발갛고 초점이 풀린 게 더 이상 술을 마실 수 없을 듯했다.

"너희도 가라. 택시 잡아 줄게."

"시른데? 더 마실 꼰데?"

"나! 나도 호텔가고 싶습니다! 호텔 가서…… 에헤헤."

꼬장을 부릴 시동을 거는 소영과 이미 맛이 가서 또 헛소리하는 이리나.

종혁은 오랜만에 보는 친구들의 풀어진 모습에 흐뭇이 웃었다.

"택시-! 따따따블-!"

* * *

털썩!

"나이트 갈 거야…… 음냐. 나이트……."

수호를 침대에 던져 버린 종혁은 따라온 현석을 바라봤다.

"죄송합니더. 제가 업었어야 했는데."

"누가 업으면 어떻다고. 어쩔래? 한 잔 더…… 잘래?"

따뜻한 곳에 와서 그런지 현석의 눈이 갑자기 천근만근이다.

"씁! 아입니더! 가입시더!"

"그냥 자도 돼."

"무슨! 저 그리 의리 없는 놈 아입니데이!"

"……그래. 나가자."

호텔을 빠져나온 종혁은 잠시 술을 깨고자 겨울 찬바람이 부는 거리를 걸었다.

어둠이 내려앉은 밤, 눈이 소복소복 내리고 있어서 그런지 좀 감성적으로 변한다.

그런 그의 머릿속에 김 대리가 실토한 조직의 구성이 떠올랐다.

'……니미럴. 서울, 대전, 대구, 부산 찍고 아하도 아니고.'

대도시마다 지부라는 게 있다고 한다. 광주에도 인천에도.

조직원의 숫자는 불명. 아무도 모른다고 한다.

본사라는 것도 있고, 세계 각국에 파견 직원이라는 것도 있다.

예상을 한 번 더 벗어난 어마어마한 규모.

앞이 막막할 정도지만, 절망스럽진 않았다.

오히려 좋았다.

사지를 찢어야 될 놈들이 많아서.

복수할 대상이 그저 그런 놈들이 아니라서.

좋다 못해 고마웠다.

'정말로…… 고맙다!'

사납게 웃은 종혁은 다시 밤 하늘을 보며 숨을 골랐다.

몰려온 차가운 공기가 달아오르던 몸을 식히며 술을 깨웠다.

"2003년도 이제 하루만 남았네."

"그라니까요. 와, 시간 빨리 갑니데이."

걷다 보니 술이 깬 건지 현석의 눈이 또렷했다.

"참 길었지."

"그랬습니꺼? 전 음청 빨랐습니더."

종혁과 현석의 눈가에 아련한 미소가 맴돌았다.

하지만 종혁은 좀 다른 의미였다.

회귀를 하고 벌써 7년.

드디어 내년이면 진짜 경찰로서 현장에 복귀를 한다.

지금처럼 더 이상 놈들을 어떻게 쫓았냐는 의심을 피하기 위해 알리바이를 만들지 않아도 되고, 범죄자를 잡아도 수갑을 채울 수 없던 날들도 이젠 안녕이었다.

"검거 때 뒤로 빠져야 했던 소외감도 이젠 안녕이지."

'뭐 그 전에 처리해야 될 놈이 있지만…….'

"예? 머라캤습니꺼?"

고개를 저은 종혁은 옆 골목을 향해 몸을 틀었다.

"아이고. 바쁘다, 바빠."

한 손에 고소한 냄새를 풍기는 하얀 봉지를 든 사십대 중년 여성이 둘을 힐끗 보고 걸음을 재촉한다.

현석은 그 모습을 보며 추억에 젖어든다.

'나도 저랬는데…….'

"행님, 근데 어데까지 가는 겁니꺼? 이러다 술 다 깨겠습니더."

"응. 다 와 가."

"예?"

주위를 둘러본 현석은 고개를 모로 기울였다.

주택이나 원룸 건물만 가득한 골목.

술을 마실 수 있는 가게는 눈을 크게 뜨고 찾아봐도 없다.

"정말 다 왔어."

"대체…… 어?"

현석은 갑자기 옆 골목을 향해 몸을 날리는 종혁의 행

동에 눈을 크게 떴다가 이내 경악했다.

"케헥!"

분명 새까만 어둠만 가득했던 장소에서 웬 비명 소리가 들렸기 때문이다.

종혁은 잡아당기는 팔에 끌려 나오는 사내를 향해 사납게 웃어 줬다.

움켜쥔 목이 싸늘하다 못해 차갑다.

이놈이 여기에 오랫동안 기다렸다는 증거다.

"잡았다, 이 쥐새끼야."

이맘때 대한민국을 공포에 몰아넣은 연쇄살인마, 정병규.

처음엔 이렇게 늦은 밤 어둔 골목을 오가는 부녀자를 칼로 찌르는 걸로 욕구를 풀다가, 결국 살인의 참맛을 알며 연쇄살인마가 된 정병규.

베고 찔려 고통에 일그러진 눈을 보면 그날 하루가 참 좋았다는 개소리를 지껄이던 놈.

그러다 마음속 악마가 부추겨 결국 살인을 저질렀다는 희대의 망언을 지껄인 개새끼.

담배는 끊어도 살인은 못 끊겠다는 말은 정말 유명했고, 그 말이 정말이라는 듯 정병규는 독방에서 목을 메달아 죽는다. 마치 마지막 살인의 대상은 자기 자신이라는 듯.

미친놈이었다.

하지만 경찰이 이놈을 지칭하던 단어는 찌질이였다.

여성, 노인, 어린아이 등 자신보다 약한 상대만 노린 찌질한 살인마.

'그냥 병신 새끼지.'

그리고 회귀 전 정병규는 오늘 이 장소에서 몇 시간 뒤 첫 범행을 저질렀다.

슉! 터억!

종혁은 어느새 뽑은 건지 명치를 향해 찔러 오는 칼을 쥔 정병규의 손을 다른 손으로 붙잡아 꺾으며, 그의 목을 잡은 손에 힘을 더 줬다.

"케게게게겍! ……크릑?!"

종혁은 결국 정신을 잃은 정병규를 내던지며 핸드폰을 꺼냈다.

"삼촌, 전데요. 혹시 서울, 경기에서 저녁에 갑자기 튀어나와 부녀자를 칼로 찌르고 튀는 사건이 발생한 적 있을까요?"

-왜? 혹시 너…….

본청 특수범죄수사과 김종두 과장의 의심 가득한 말투에 입맛을 다신 종혁은 정신을 잃었는데도 칼을 꼭 쥐고 있는 정병규를 응시했다.

"넌 이제부터 밀착 마크다."

이제 정병규가 남의 피를 볼 일은 평생토록 없을 터였다.

종혁의 눈은 시리도록 차가웠다.

* * *

"아니, 이건 대체……."

당황으로 물든 현석이 김종두의 손에 이끌려 사라지는 정병규와 종혁을 번갈아 바라봤다.

"대체 이게 우째 된 일입니꺼?!"

술을 마시러 가던 와중에 범죄자를 잡았다. 아니, 곧 범죄를 저지를 예비 범죄자를 잡았다.

그것도 칼을 든.

"……우째서?!"

종혁은 혼란에 빠진 현석의 어깨를 잡았다.

"현석아."

"예."

"범인을 많이 잡다 보면 가끔 이럴 때가 있어. 왠지 저 길 가 보고 싶다, 저놈을 잡아야겠다 뭐 그런 촉이 설 때가. 개소리 같지만 정말 그래."

"……진짜요?"

종혁의 말처럼 개소리 같은데, 종혁은 생도 신분으로 범죄자를 아주 많이 잡은 사람이라서 그렇게 들리지가 않았다.

'휴. 다행이네.'

흔들리는 현석을 보며 가슴을 쓸어내린 종혁은 다시 밤하늘을 보았다.

어느새 눈이 멈춘 밤하늘엔 별이 떠 있었다.

'이제 올해 일어날 사건도 모두 끝인 건가?'

그렇다고는 볼 수 없다.

분명 종혁이 모르는 곳에서 온갖 범죄가 일어나고 있었다.

어딘가에선 강도 사건이.

또 어딘가에선 살인 사건이.

하루에도 수백, 수천 건의 범죄가 발생하는 대한민국.

그러나 종혁이 알고 있는 사건은 이걸로 끝이었다.

종혁은 별이 총총 뜬 밤하늘을 보며 활짝 웃었다.

그 순간이었다.

띠리링! 띠리링!

"음? 권 대장님?"

프로파일링수사과의 권순호 경사다.

종혁은 잠시만이란 제스처를 취하고 전화를 받았다.

"예, 대장님."

—종혁아, 넌 밀실 살인이라는 게 성립될 수 있다고 생각하냐?

고개를 모로 기울이던 종혁은 이내 눈을 크게 떴다.

'이런!'

그러고 보니 깜빡 잊고 있었다.

회귀 전, 그가 막 퇴원을 했을 무렵 대한민국을 떠들썩하게 만든 대한민국 최초의 밀실 살인 사건을.

종혁의 눈이 파르르 떨렸다.

아무래도 밤이 깊어질 것 같았다.

* * *

현장에 도착하자 싸한 냄새가 났다.

피나 분변 냄새가 아니라 살인 사건 현장 특유의 날카롭고도 음산한 분위기.

언제나 불쾌하기 짝이 없는 냄새, 살인 사건 현장은 언제나 달갑지가 않았다.

복도식 아파트의 807호에 쳐진 폴리스 라인을 넘자 다른 형사들과 있던 권순호 경사가 종혁을 반겼다.

"왔어? 술 마셨네?"

"친동생처럼 생각하는 이놈이랑 연말이라 한잔했습니다. 현석아, 인사드려. 이쪽은 본청 프로파일링수사과의 권순호 대장님과 장복순 순경."

"안녕?"

프로파일링수사과도 드디어 인력 충원이 됐다.

무로이와 미하일이 연수를 받고 떠난 이후다.

살인 사건이라고 눈을 빛내며 따라왔지만, 살인 사건 현장의 분위기에 짓눌려 하얗게 질려 있던 현석이 당황하며 거수경례를 했다.

"경찰간부후보생도 강현석!"

"어이구, 첫 경험을 살인 사건으로 하네."

하얗게 질린 모습이 안쓰럽지만, 구토를 하지 않는 게 대견했다.

비록 시신은 치워진 상태지만, 살인 사건 현장 특유의 분위기는 웬만한 강심장이 아니고선 견딜 수 없었다.

분명 살인 사건 현장이 처음일 텐데도 태연한 종혁이 별종이었다.

권순호는 다른 형사들을 소개시켰다.

웬 어린놈이 술 냄새를 풍기며 현장에 들어오기에 짜증을 냈던 형사들은 이내 곧 반색했다.

용산구 빈집털이 사건과 아내 독살미수 사건을 조기에 해결한 생도의 존재에 대해선 제법 들어 봤기 때문이다.

기수를 씹어 먹을 괴물이라는 말이 자자했다.

"이쪽은 최초 발견자이시자 피해자의 남편인 구성훈 씨."

"제발, 정말 제발 부탁드립니다! 제발 제 아내와 딸을 죽인 범인을 잡아 주세요!"

금방이라도 쓰러질 듯 초췌한 남편이 종혁의 손을 강하게 붙든다. 종혁은 그 손에서 느껴지는 간절함에 낯빛을 굳히며 권순호를 봤다.

"어떻게든 오고 싶다고 하셔서."

이래서 살인 사건 현장은 달갑지 않은 거다.

꼭 미리 막지 못한 경찰의 잘못 같아서.

자신의 몸이 여러 개였다면, 자신이 더 많은 범죄를 확실히 기억하고 있었더라면 막을 수 있었을까 싶어 마음 한구석이 아려 왔다.

그런데 오늘은 특히나 더 입안에서 쓴맛이 느껴졌다.

이 사건의 범인이 면식범이라서.

종혁이 기억하는 바에 의하면 범인은 피해자의 가족 중 한 명이었다.

즉, 이 남편도 용의자였다.

빌어먹게도.

'조금만 더 자세히 기억하고 있었더라면…….'

안타깝고 가슴이 답답했다.

하지만 그렇다고 한들 어쩔 수 없었을 거다.

범행을 증명하지 못하는 한 범인이 누구라고 말한들 아무런 의미도 없으니까.

종혁은 일그러진 남편의 눈을 보며 진지하게 말했다.

"예. 꼭 그러겠습니다."

아직 생도임에도 단단한 종혁의 모습에 형사들은 놀라고, 지푸라기라도 잡고 싶었던 남편은 작은 희망을 얻었다.

"그런데 그러기 위해선 남편분의 협조가 정말 필요합니다."

종혁은 남편을 안방으로 이끌었다.

발견 당시 시신의 자세를 기록한 하얀 테이프, 아니 남편 입장에선 아직도 그 자리에 있을 아내와 자식들의 시신이 남편의 눈에서 사라진다.

남편을 침대에 앉혀 둔 종혁은 화장실에서 치약으로 대충 가글을 한 후 남편의 앞에 무릎을 꿇고 눈을 마주쳤다.

"괴로우시겠지만 발견 당시의 상황을 다시 설명해 주실 수 있겠습니까?"

"종혁아, 그건 이 사건 파일로……."

장복순을 눈짓으로 말린 종혁은 남편을 진지하게 응시했다.

혐의가 밝혀질 때까지 남편은 아직 범인이 아니다.

무죄추정의 원칙을 따라 줘야 했다.
그런 종혁에게선 어느덧 베테랑 형사 특유의 분위기가 흘러나오고 있었다.
'호오?'
권순호와 형사들은 눈을 빛냈지만 입을 다물었다.
그들도 알기 때문이다.
거짓된 증언은 거듭 말할수록 파탄을 드러내지만, 진짜 증언은 거듭 말할수록 보다 자세한 진실이 나온다는 걸.
"장 순경님, 현석이랑 따뜻하게 마실 것 좀 만들어 주세요."
"으, 응."
밖으로 나간 그들이 곧 머그컵에 따뜻한 커피를 들고 오자 종혁은 그걸 남편의 손에 쥐여 주었다.
목으로 뭘 넘길 수가 없는 남편은 거부했다.
그러나 종혁은 더 힘을 주었다.
"먹고 힘내셔야 같이 범인을 잡죠."
울컥!
같이 범인을 잡자.
그 말이 남편에게서 사라졌던 의지를 다시 가져왔다.
그는 머그컵에 담긴 갈색의 믹스커피를 봤다.
"……참 싫어했던 건데."
그러나 아내가 그토록 좋아했었다.
식사 후엔 꼭 물 대신 호호 불어 마시던 아내.
입술을 깨문 그는 종혁의 눈을 봤다. 그의 눈은 방금

전과 달리 불타오르고 있었다.

"이틀 전이었습니다. 평소처럼 일을 마치고 돌아온 전 현관문이 잠겨 있기에……."

초인종을 누르고 문을 두드렸다.

하지만 아내가 나오지 않자, 그는 근처에 사는 처제에게 혹시 아내와 함께 있냐며 연락을 했다.

"그러자 처제가 아니라고 혹시 무슨 일 있는 거 아니냐며 달려오더군요."

'흠?'

"처제와 아내분이 많이 친하셨나보군요."

"남편인 제가 질투를 느낄 만큼 죽고 못 살았죠. 이란성 쌍둥이로 태어나 항상 붙어 자랐고, 커서도 근처에 살았으니까요."

어렸을 땐 여느 자매처럼 싸웠다지만 지금은 정말 친했다.

종혁은 고개를 끄덕였다.

"계속해 주세요."

"예. 아무튼 서로 어디 갈 곳 없냐며 다시 연락을 해 보자 그런 이야기를 나누다가, 작은 방 창문이 잠기지 않은 걸 발견했습니다."

"남편분이요?"

"처제였습니다."

"흠…… 작은방 창문은 언제나 열려 있나요?"

남편은 미간을 좁히며 생각에 잠겼다.

종혁은 그런 남편의 표정 변화를 빤히 살폈다.

"그건…… 저도 잘 모르겠습니다. 방범창을 달아 놓긴 했지만……."

종혁은 표정을 굳힌 채 고개를 끄덕였다.

"계속해 주세요."

"그렇게 창문을 열더니 손을 집어넣어 제 아내의 핸드백을 꺼내고, 그 안에서 열쇠를 찾았습니다. 그렇게 문을 열고 들어가자…… 들어가자……."

종혁은 급격히 빛을 잃어 가는 남편의 눈에 그만하셔도 된다고 다독였다.

"부디…… 제발 부디!"

"예, 그럴 겁니다. 그러기 위해 온 거고요."

남편의 손을 꼭 잡은 종혁은 몸을 일으켜 안방을 빠져나왔다.

형사 한 명은 안에 남았다. 이런 일을 당한 피해자를 혼자 두지 않는 건 매뉴얼이었다.

따라 나온 권순호가 사건 파일을 내밀자, 종혁은 천천히 그것을 훑었다.

"피해자에게 우울증 등 정신질환 증세는 없었고, 유서도 없었군요. 대인 관계도 원만하여 원한을 살 만한 사람도 없었네요."

자식에겐 좋은 엄마, 남편에겐 좋은 아내. 현모양처.

법 없이도 살 사람이었다는 평가가 유독 눈에 들어온다.

"그래. 그래서 자살로 위장한 타살에 초점을 맞춰서 수사를 진행하고 있는 거고."

"……남편에게 원한이 있었을 가능성은요?"

날개 달린 녹색 신발을 로고로 사용하는 유명한 채팅 사이트, 버디프랜드.

피해자의 남편은 그곳의 전무였다.

"아무래도 한 기업의 전무이니 엮일 만한 사람도 많을 테고, 그쪽도 조사 중이야."

종혁은 고개를 끄덕이고는 사건 파일을 다시 한번 살폈다.

치마를 덮어쓰고 목에 올가미가 조여진 채 거실 방바닥에 쓰러져 사망한 아내.

4살짜리 딸은 보자기가 목에 둘러진 채 작은 방에서, 16개월 아들은 얼굴에 비닐봉투가 씌워진 채 발견됐다.

다행이 아들은 기적적으로 살았는데, 의사 소견이 일시적으로 죽었다가 다시 살아난 거라고 했다.

의사가 말하길 정말 기적이라고.

그 어린 것이 어떻게든 살려고 발버둥 친 거다. 다만 뇌에 산소가 공급되지 않은 시간이 길어서 뇌에 큰 손상을 입었다고 한다.

"후우……."

끔찍한 내용의 사건 파일을 덮은 종혁은 이번엔 현장을 살펴보기 시작했다.

창문은 닫혀 있었고, 방범창살은 훼손되지도 않았다.

현관문도 안과 밖 모두 억지로 조작한 흔적도 없었고, 아파트 8층이라 창밖에서의 침입도 불가능했다.

즉, 범인이 마치 연기처럼 증발했단 소리다.

"확실히 밀실 살인이라 부를 만하네요."
범인은 역시 기억대로 면식범이 맞다.
그렇지 않다면 발견 당시의 집안이 이렇게 깨끗할 수가 없다.
'그래도 와…….'
가히 미궁이라 할 수 있을 만한 상황이다.
막막했다.
거슬리는 점이 몇 개 있긴 한 데, 아직 확신할 순 없었다.
'이걸 자세히 기억했어야 했는데!'
강력반으로 간다고 한창 정신이 없었을 때였다.
한숨을 쉰 종혁은 작은방을 봤다.
4살 딸이 발견된 작은 방.
핑크색 그네가 봉에 매달려 걸려 있다.
꺄르르 웃으며 그네를 탔을 작은 소녀.
그 환상이 오버랩되자 목이 막혀 왔다.
"……일단 작은 방부터 보죠."
종혁은 방문이 열려 있는 작은 방으로 향했다.
핑크색 이불 위에 쳐져 있는 하얀 테이프.
딱 곱게 누운 작은 아이 형태다.
당시 사진을 본 종혁은 이를 악물었다.
"교살이죠?"
"정확한 건 부검 결과가 나와 봐야겠지만, 일단은 그렇게 판단돼. 아들은 비닐봉지로 질식시키려고 했고."
종혁은 침대 주변의 벽을 살폈다.

'도망치다 반항한 흔적은 없고.'

있다면 누운 채 발버둥 친 흔적밖에 없다. 이불에 난 주름이 그랬다.

누운 채 보자기에 목이 졸려 죽은 거다.

종혁은 머리가 있었을 부분을 쓸어내렸다.

"널 그렇게 아프게 한 사람이 누군지 봤겠구나. 얼마나 무서웠을까……."

울컥!

"크흡!"

장복순과 현석이 급히 고개를 돌렸다.

종혁은 고개를 돌려 핸드백이 있었던 자리를 봤다.

침대 옆 서랍장 위.

창문 밖에서 손을 뻗으면 바로 닿을 거리.

"음?"

고개를 모로 기울인 종혁은 이번엔 작은 방을 둘러봤다.

전형적인 어린 소녀의 방이다.

그래서 뭔가 이질적이었다.

종혁은 사건 파일을 넘겨 핸드백 사진을 봤다.

약간 낡아 보이는 명품 핸드백.

"흠……."

권순호 경사가 고개를 끄덕였다.

"너도 좀 이질적이라고 느끼는구나?"

"좀이 아니라 엄청 이상하네요."

"그래?"

"예. 잠시만."

작은 방을 나선 종혁은 복도로 나가 창문 앞에 섰다.

그리고 창문을 열었다.

"보이네."

하얀 테이프가 보인다. 거의 신체의 절반 정도가.

그러다 아차 했다.

"아, 처제의 키가 얼마나 되죠?"

"한 160센티? 아마 그 정도 될 거야."

뭔가를 기대하는 형사의 답변에 종혁은 장복순을 불렀다.

"안으로 손을 뻗어서 핸드백을 잡아 봐요."

장복순은 의아해하면서도 꼼지락거리며 좁은 방범 창살 틈으로 손을 들이밀었다.

"스톱. 지금 뭐가 보여요?"

힘겹게 방범 창살에 얼굴을 들이민 장복순이 눈을 돌린다.

"……어?"

"현석아, 안에 들어가서 아내분이 누워 있던 곳에 누워 봐."

"예? 예, 행님!"

우당탕 달려간 현석이 누웠다고 외치자, 종혁은 장복순을 향해 문 쪽을 보라고 말했다.

"어어?"

뭐가 보이는지 묻지 않아도 알 것 같다.

종혁은 다시 사건 파일 속 현장 사진과 기록을 다시 살폈다.

그러자 거슬렸던 모든 게 아귀가 맞아떨어지며 하나의

그림을 그렸다.

종혁은 한숨을 길게 내뱉었다.

"니미 개씨부랄 것."

진짜 개씨발이었다.

이 사건의 범인은…….

* * *

경찰서의 조사실.

긴 생머리에 눈썹과 눈초리가 내려가 순해 보이는 외모의 여성이 앉아 있다. 이번 밀실사건의 최초 발견자 중 한 명이자, 피해자의 동생인 서우희다.

참고인 조사란 말에 경찰서를 찾은 그녀는 어깨를 약간 움츠린 채 신기하단 눈으로 조사실을 둘러봤다.

이런 곳에 처음 와 본 사람 특유의 반응이다.

똑똑!

노크를 한 권순호 경사가 문을 열고 들어오자 서우희는 얼른 몸을 일으켰다.

"오시느라 수고 많으셨습니다. 이번 사건을 담당하는 권순호 경사입니다. 밖이 많이 춥죠?"

권순호 경사는 코트와 장갑을 낀 그녀에게 코코아를 내밀었다.

"괘, 괜찮아요. 그보다 저희 언니는요! 언니를 죽인 범인은 잡았나요?!"

흔들리는 초췌한 눈과 혈색이 부족한 입술.

언니를 잃은 심적 충격에 괴로워하는 모습이었다.

권순호 경사가 눈을 깔았다.

"최대한 노력하고 있습니다. 그러기 위해선 서우희 씨의 협조가 필요합니다."

"네! 그 나쁜 놈만 잡을 수 있다면 얼마든지요!"

"감사합니다."

권순호는 지금부터 말하는 모든 건 법적 효력이 발생한다는 동의를 얻었다.

"그럼 다시 최초 발견을 했을 당시의 상황을 들어 볼 수 있을까요?"

"……네."

심호흡을 하고 코코아를 마신 그녀는 그때 당시의 상황을 떠올렸다. 그녀의 눈동자가 위로 올라갔다.

"제가 형부의 연락을 받고 언니 집에 도착했을 때……."

그녀의 입에서 당시의 목격담이 흘러나왔다.

한편 조사실의 매직미러 뒤.

문을 열고 들어오는 종혁을 형사들이 맞이했다. 그들의 눈이 기대에 빛났다.

"어때?"

"어떻긴요. 당연히……."

종혁은 매직미러 밖 조곤조곤 설명하는 서우희를 빤히 보았다.

목격담을 모두 들은 권순호는 커피를 한 모금 마신 후 입을 열었다.

"전과 똑같군요."

"당연하죠. 혹시 뭐 다른 게 발견됐나요?"

권순호는 눈을 빛내는 그녀를 향해 사람 좋게 웃었다.

"아뇨. 그런 건……. 그보다 이해가 안 가는 부분이 있어서 그런데 설명해 주실 수 있을까요?"

"……?"

"방금 전 형부의 전화를 받자마자 바로 달려가셨다고 했는데, 그럴 이유가 있을까요? 잠깐 어디 나간 걸 수도 있잖아요."

"아! 그게……."

서우희는 우물쭈물 망설였다.

그렇게 한참을 망설이던 그녀는 더 푸근히 웃는 권순호의 얼굴에 한숨을 내뱉었다. 그녀의 낯빛이 더 어두워졌다.

"언니가…… 우울증이 있었어요. 산후우울증이요."

권순호는 화들짝 놀랐다.

매직미러 뒤에 있던 형사들도 마찬가지다.

"그런 병력이나 기미는 없던 것 같던데……."

"그럴 수밖에 없죠. 우울증이라고 하면 그…… 정신병자처럼 보이잖아요."

몸을 앞으로 내민 서우희가 목소리를 낮춘다.

권순호는 고개를 끄덕였다. 종혁도 마찬가지다.

우울증이 대중화(?)된 미래라면 몰라도 지금 이 시기에 정신병이 있다면 거의 전염병에 걸린 사람 취급을 받았기 때문이다.

"맨날 죽고 싶다고…… 어딘가로 훌쩍 떠나고 싶다고…… 흑!"

"음. 그래서 그렇게 달려오셨던 거군요."

서우희는 권순호가 건네는 손수건으로 눈가를 찍으며 고개를 끄덕였다.

"네, 혹시라도 잘못된 선택을 했을까 봐요. 형사님, 이건 절대 형부한테 말하지 말아 주세요! 형부가 알면……."

"그 부분은 걱정하지 않으셔도 됩니다. 그럼 다음으로 넘어가서 작은 방 창문을 열어 핸드백을 꺼내고 그 속에서 열쇠를 찾으셨는데, 서정희 씨가 원래 스페어 키를 거기다 두셨나요?"

서우희는 고개를 끄덕였다.

"민이, 그러니까 언니가 첫째를 낳고 나서 건망증이 생겼거든요."

"산후후유증이 생기셨군요."

"네, 맞아요. 산후후유증! 그래서 그렇게 보관하더라고요. 그러지 말라고 그렇게 말렸는데도."

"그걸 아는 사람이 서우희 씨 말고 또 있나요?"

그녀의 눈동자가 다시 대각선으로 올라간다.

"음. 일단 형부도 있을 테고, 엄마도 알아요. 아마 사돈분들도 아시겠죠? 그 외에는…… 잠깐, 설마 저를 의심하는 건가요?!"

"음. 그런 말은 하지 않았습니다만……."

서우희의 표정이 딱딱하게 굳자 권순호는 머리를 긁었다.

"그럼 그 핸드백을 꺼낼 때 보신 건 없나요?"

너무나도 비좁은 방범 창살.

그곳에서 핸드백을 꺼내려 했다면 분명 손쉽지 않았을 터.

핸드백을 꺼내는 과정에서 방 안을 살피기엔 충분한 상황이라는 것이다.

"……네? 뭘요?"

그녀는 의아해했지만, 권순호는 순간 흔들리는 그녀의 눈동자를 놓치지 않았다.

"조카. 조카의 발과 언니의 머리 일부분이 보이지 않던가요?"

"네에?!"

그녀의 몸이 크게 흔들렸다.

이 사건의 범인은 바로 서우희 그녀였다.

"네?! 그게 무슨 말이에요! 그게 왜 보여요!"

"그럴 리가 없는데……. 보여야 하는데……."

당시 작은 방의 문이 열려 있었단 건 남편이 기억을 겨우 더듬어 증언해 줬다. 그네가 있기에 애초부터 닫지 않는 문이라고.

그리고 비좁은 방범 창살에 손을 욱여넣은 채 얼굴을 들이밀었다면, 자연스레 방 안으로 시선이 향했을 터였다.

"이봐요! 그 말은 내가 지금……!"

"죄송합니다. 서정희 씨가 우울증 앓고 있었다면, 혹시 모를 상황에 많이 당황하여 아무것도 보시지 못하셨을 수 있었겠죠."

"……후. 조심해 주세요. 아직 언니 장례도 치르지 못했다고요."

장례를 치르지 못했다.

그 말은 비수가 되었다.

권순호는 거듭 사과를 했다.

"음. 그럼 이건 넘어가고, 그렇게 문을 열고 들어가셨을 때의 상황이 어떻던가요?"

"언니가 치마를 뒤집어쓰고 있었죠. 마치…… 포장된 선물처럼."

그때를 다시 떠오른 그녀의 눈에 눈물이 고이고, 몸이 떨린다.

"나쁜 놈. 사람이 어떻게……."

권순호는 이젠 식어 버린 커피를 입에 가져갔다.

"그래요. 그렇게 보이셨군요. 저흰 마치 범인이 피해자들의 얼굴을 보기 싫어서 그렇게 한 것이라 생각했는데……."

권순호는 그녀의 눈을 빤히 응시했다.

"피해자들과 깊은 친분이 있었던 범인이, 범행을 저지르던 그 순간에 차마 얼굴을 볼 수 없다는 쥐꼬리만 한 양심의 가책으로 말이죠."

흠칫!

눈이 강하게 흔들린 그녀는 이내 이를 악물며 자리를 박찼다.

그 순간 권순호의 핸드폰이 울렸다.

지이잉!

“아, 잠시. 죄송합니다.”

핸드폰 문자를 살핀 권순호는 눈을 빛내며 다시 그녀를 봤다.

“감식 결과가 나왔는데…… 스카프와 교살 때 쓴 빨랫줄에서 여성의 DNA가 발견됐다네요? 난 이게 서우희 씨 당신 것 같은데 어떻게 생각하시는지?”

서우희의 얼굴이 와락 일그러졌다.

“당신 미쳤어?! 내가 왜 언니를 죽이는데!”

권순호는 피식 웃으며 입을 열었다. 그건 종혁도 마찬가지였다.

“부러웠으니까.”

―흡?!

서우희처럼 매직미러 밖 형사들도 몸을 굳힌다.

―말도 안 되잖아! 내가 왜 언니를 부러워하는데! 그리고 거기서 왜 내 DNA가 발견되는데! 그럴 리가 없잖아!

―왜죠?

―당연히 장갑을…… 아? 아아아! 아니야! 아니라고!

“뭣?!”

형사들은 다급히 몸을 일으켰고, 종혁은 한숨을 내쉬었다.

"끝났네."

종혁은 다급히 손을 젓다가 이내 이를 악무는 그녀를 빤히 응시했다.

본인도 직감한 건지 처졌던 눈초리와 눈썹 끝이 하늘로 솟으며 악마의 민낯이 드러난다. 순식간에 인상이 바뀐다.

"저, 저!"

담배를 입에 물며 불을 붙이는 서우희.

원래 흡연자였다는 듯 퍽 자연스럽다.

-그래서 안 돼? 죽이면 안 됐던 거야?

-…….

-고작 몇 분 먼저 태어났다고 엄마, 아빠한테 관심 다 받고, 고작 성적 몇 점 더 받았다고 칭찬 더 받고! 언제나 좋은 건 걔가 다 차지했잖아! 모두가 걔만 봤잖아! 그렇게 누리고 살았잖아!

"그래서 결혼을 일찍 한 건가."

-그래서 결혼을 일찍 한 겁니까.

-그래! 걔를 이길 수 있는 건 그것뿐이었으니까! 하지만 그런데-!

"뒤늦게 결혼한 언니의 배우자가 잘 나가는 IT기업의 창립자 중 한 명이었지."

형사들이 멍하니 종혁을 본다.

-난 고작해야 공무원인데! 걘 왜 그런 남자랑 결혼을 한 거냐고! 왜 나는 애들 보느라 죽고 싶은데, 걔 애들은 왜 그렇게 순해? 나는 여행 한 번 못 가는데 걔는 왜 매

달 여행을 가냐고-!

"와, 저 미친년!"

"그, 그러니까 지금 질투가 난다고 친언니를……."

"잠깐, 그럼 서로 사이가 좋았다는 것도 일부러? 저거 정말 미친 거 아니야?!"

'미친 거 맞습니다.'

연극성 사이코패스, 지금은 히스테리성 인격장애라 불린다.

그녀는 언니를 죽여 버리고 싶을 만큼 부러워했던 거다.

'그래서 모두 서정희 씨가 쓰는 것보다 조금이라도 더 비싼 걸 입은 거겠지.'

서우희가 입고 있는 옷이나 신발, 시계 등은 하나같이 고가의 명품이었다.

처음 신고를 받고 출동한 형사들이 강도살인일까 싶어 남겨 둔 현장 사진 속, 서정희의 옷장에 있는 명품들보다 고가의 라인.

분명 서우희의 지갑 사정으로는 쉽사리 살 수 없는 가격대의 명품들이었다.

서우희는 무리를 해서라도 언니 서정희보다 조금이라도 비싼 걸 입으며, 우월감과 위안을 얻은 것이리라.

그게 이런 사이코패스들의 전형적인 모습이었다.

-그래! 그래서 죽였어. 걔만 없으면 내가 행복해질 테니까! 호호. 됐어. 이젠 내가 제일 행복해.

오싹!

형사들은 웃는 그녀를 보며 입을 빼금거렸다. 그건 권순호도 마찬가지였다.

종혁은 권순호에게 빠르게 문자를 보냈다.

지이잉!

문자를 확인한 권순호는 의아해하다 이내 코웃음치며 입을 열었다.

—아뇨. 그래 봤자 당신이 행복해질 일은 없습니다. 오히려 평생 언니보다 못한 동생으로 남게 되겠군요. 무능하고, 자기 혼자 아무것도 못하고 언니에게 열등감만 가득했던 바보로.

—……뭐?

—서정희 씨는 사람들에게 가장 행복하고 완벽했던 그 모습으로 기억에 남을 겁니다. 그 기억은 평생 지워지지 않겠죠. 당신의 기억 속에서도.

그 말에 서우희가 눈에 띄게 흔들린다.

그럴 리가 없다며 부정한다.

그럴 수밖에 없다.

그녀가 언니를 죽이면서까지 가지고 싶었던 건 결국 사람들의 관심과 나만 보라는 이기심이었으니까.

내가 모든 이들의 중심이 되고 모두가 부러워하길 바랐으니까.

언니가 죽었으니 이제 세상에서 행복한 사람은 오직 자신뿐이었으니까.

고작 그딴 것 때문에 친언니를 죽인 서우희는 권순호의

말을 인정할 수가 없었다.

—그, 그럴 리가……. 아, 아냐! 아니라고—!

—서우희 씨, 당신을 서정희, 구민 살해 및 구진수 살해 미수 혐의로 체포합니다. 당신은 묵비권을 행사할 수 있으며…….

—놔! 놔아아!

그렇게 대한민국 최초의 밀실살인이자, 2003년 마지막 사건이 끝났다.

* * *

"어휴. 수고했다, 종혁아. 너 아니었으면 정말……."

권순호 경사는 고개를 저었다.

"DNA 기술이 그렇게 발전했는데 설마 저 없다고 못 잡았겠어요. 그저 조금 더 일찍 잡은 것뿐이죠."

회귀 전에도 곧 범행이 드러난 사건이었다.

다만 종혁이 권순호를 통해 전달한 이야기로 인해, 서우희는 평생 벗어날 수 없는 고통을 맛보게 될 터였다.

"……크."

'그게 누구 덕분인데!'

한국의 DNA 기술이 발전한 건 모두 종혁 덕분이었다.

"역시 넌 우리 수사과에 와야 돼."

"생각해 볼게요."

"오케이! 오늘 정말 수고했고, 이거 가지고 가서 해장국 사 먹어."

그렇게 종혁에게 만원 몇 장을 쥐어 준 권순호는 혹여 종혁이 딴말을 할까 얼른 장복순을 끌고 도망치듯 차로 향했다.

일련의 사태에 넋을 놓은 그녀를 데리고.

"……와, 이게 현장입니꺼?"

"왜? 의욕이 좀 솟아? 얼른 경찰 되고 싶어?"

현석은 고개를 빠르게 끄덕였다. 의욕이 솟을 뿐만 아니라 종혁에 대한 존경심도 한계를 돌파했다.

'진짜 평생 모셔야 할 행님이다!'

종혁은 데려온 보람이 있다며 미소를 지었다.

그러다 현석은 미간을 좁혔다.

"근데 우예 알았습니꺼? 그년이 범인이란 걸?"

서우희가 창밖에서 아무것도 보지 못했을 가능성도 배제할 수는 없었다. 실제로 그녀가 정말 언니를 아끼는 동생이었다면 매우 다급하고 정신이 없었을 테니까.

그러나 종혁은 서우희가 범인이라고 확신하며 그녀를 조사실로 불러들였다.

아무리 고민해 보아도 그 이유를 알 수가 없었다.

종혁은 어리둥절해 하는 현석의 모습에 담배를 물며 하늘 높이 떠오른 해를 봤다.

"명품백이 딸의 방에 있었잖아. 그것도 햇빛이 닿을 자리에."

"……예? 그게 와요?"

현석은 더 어리둥절해했다.

"넌 아직 모르겠지만, 명품백은 여자에겐 목숨과도 같은 거거든."

딸아이의 작은 방 창가 서랍장 위에 놓여 있던 명품 핸드백. 그게 결정적인 단서였다.

딸이 원하면 가끔 들어 보게 할 수는 있겠지만, 명품백을 네 살짜리 딸의 방에 놔둘 리는 없었다.

설령 놓아둔다 하더라도 햇빛이 닿는 자리에 뒀을 리는 결단코 없었다. 가죽이 변색될 수 있으니까.

그런데 사진을 보니 변색된 부위가 없었다.

"어? 그럼 그년이 핸드백을 옮겨 놨다는 말입니까?"

"그래. 밀실로 꾸며서 자살로 위장시키려 했던 거겠지."

남편이 가져다 놨다면 서우희가 몰라야 했다. 창틈 사이로 방 안을 살펴 가방을 발견한 게 아니라면 말이다.

즉, 그 가방의 존재를 알 수 있는 사람은 밀실을 만들기 위해 그곳에 가방을 옮겨 놓았거나, 또는 방 안을 살피며 피해자들을 보았을 인물밖에 없는 것이다.

"아마 잘사는 언니니까 이 정도는 괜찮겠지, 라고 생각했을 거야."

"왐마, 이 미친 또라이……."

종혁은 말을 잇지 못하는 현석의 어깨를 두드렸다.

"가자. 해장하고 복귀해야지."

띠리링! 띠리링!

–어디야! 나 왜 여기 있냐?!

"……수호도 데리고."

"하, 그 행님 진짜 손 마이 가네."

둘은 그렇게 수호를 재워뒀던 호텔로 향했다.

'진짜 지랄이다.'

2003년 마지막 사건은 참 지랄 맞았다.

담배가 많이 쓰게 느껴질 만큼.

* * *

시렸던 겨울도 다 지나고, 어느덧 2004년의 봄이 됐다.

일본 총리가 새해 첫날부터 야스쿠니 신사 참배를 하며 한국인들의 속을 뒤집었고, 독극물을 한강에 방류한 미군 군무원이 한국에서 실형을 선고받았다.

한국 형사재판 관할권에서 이뤄진 첫 판결.

한국 네티즌과 일본 네티즌이 인터넷에서 전쟁을 벌이기고 했고, 코스닥시장 본부가 코스닥 기준 지수를 100에서 1000으로 10배를 높였다. 따라서 모든 지수에 x10이 되는 효과가 발생하였다.

또 전라도 광주에선 도시철도 1호선이 개통되기도 했다.

이 외에도 참 말도 많고 탈도 많은 일들이 벌어졌다.

그리고 경찰 본청 대강당도 북적였다.

정복을 입은 채 각을 잡고 서 있는 초임 간부들.

그 사이에 종혁이 있었다.

"……될 것을 깊게 맹세합니다!"

최기룡 청장에게서 몸을 돌린 종혁은 대나무처럼 올곧게 서 있는 초임 간부들을 향해 입을 크게 벌렸다.

"전체 차렷!"

처척!

"청장님께 대하여 경례!"

"충성-!"

몸을 돌린 종혁은 흐뭇이 바라보는 최기룡 경찰청장에게 거수경례를 했다.

"충성."

와아아아아!

구경 나온 김종두 과장 등이 벌떡 일어나 박수를 친다.

'드디어 됐네.'

드디어 진짜 경찰이다. 드디어 시작 지점에 선 건다.

웃음이 나오고, 온몸이 저릿저릿했다.

그런데 그보단…….

'기대해. 이젠 진짜 제대로 쫓아 줄 테니까.'

고삐가 풀렸다.

종혁의 입가에 걸린 미소가 사나워지기 시작했다.

그렇게 종혁은 회귀 전과 다르게 경위로서 경찰을 시작하였다.

* * *

서울에서 참 말도 많고 탈도 많다는 홍익파출소.

교대를 마친 경찰들이 모닝커피를 마시며 시계를 본다.

"오늘이지?"

"어? 어, 그러네. 벌써 오늘이네."

경사 이상 경찰들의 눈이 흥미로 빛난다. 오늘 올 간부에 대해 들은 게 있기 때문이다.

청소를 하던 순경들도 기대를 한다.

이제 몇 개월만 더 지나면 시보를 끝마치고 정식 순경이 되는 그들.

"야, 그 사람 오면 우리가 선배지?"

화장실을 청소하던 여자 순경 둘이 키가 큰 남자 순경을 멍하니 응시한다.

"아, 왜? 그래도 이 파출소에선 우리가 선배 맞잖아!"

"미쳤어? 그쪽은 경위고, 우린 고작 시보야!"

시보 경찰. 정식 임관 전 평가를 하는 단계다.

여기서 탈락이 되면 순경 시험을 합격해 중앙경찰학교에 들어가 죽도록 구른 약 1년의 노력이 물거품이 된다.

"헛소리 그만해. 그리고 경고한다. 선배고 뭐고 그 지랄하는 순간 너랑 나랑은 동기가 아닌 거야."

동기의 단호한 눈빛에 남자 시보 순경이 입을 다문다.

하지만.

'그래도 선배는 선배야. 내가 아주…….'

고작 경찰대학교에서 4년 배웠다고 간부다.

누군 몇 년 동안 뭐 빠지게 공부하고 운동해서 겨우 순경 아니 시보가 됐는데, 누구는 편안하게 공부하다가 간부가 됐다.

그는 이 부조리를 용납할 수 없었다.

"마지막으로 경고하는데, 절대 하지 마."

"알았다고!"

남자 동기를 빤히 보던 여자 동기는 고개를 끄덕였다.

"다 정리했으면 나가자."

고무장갑 정리도 마친 그들은 파출소 1층으로 내려갔다.

그 순간.

"경일 빌딩 삼거리 앞에서 취객이 난동을 부린단다. 출동해."

"아오, 뭔 아침 댓바람부터 술을 드시고 지랄이야. 야, 최꼴통! 가자!"

"……예!"

남자 시보 순경 최꼴통, 아니 최재수는 다급히 모자를 챙겨 들며 경찰차에 올랐다.

그렇게 그들은 현장으로 향했다.

엉덩이를 비비적거리던 최재수가 눈치를 보다 입을 연다.

"저, 오 경위 님."

"왜?"

"오늘 오신다는 초임 간부님도 신고식 합니까?"

"……뭐?"

환청을 들은 듯한 눈빛은 곧 이게 돌았나 하는 눈빛으로 변했다.

"아니, 저힌 했잖습니까. 저희 파출소의 전통이라고."

"……네 맘대로 생각하세요."

이젠 상종조차 하기 싫다는 듯 고개를 저은 오택수 경위는 앞만 보며 차를 몰았다.

그리고 곧 사건 발생지에 도착했다.

"안전벨트 미리 풀어. 너 또 씨발 저번처럼 헤매면 죽여 버린다."

처음 출동했을 때 안전벨트조차 풀지 못할 정도로 어리바리했던 최재수.

최재수의 얼굴이 빨갛게 달아올랐다.

"어, 언제 적 이야기를 하세요!"

"시끄러워, 이 새끼야. 얼른 내릴 준비나…… 저건 뭐야?"

고가의 외제차 보닛에 덩치가 큰 사내가 앉아 있다.

온몸을 명품으로 도배한 사내.

이제 이십대 초반이나 됐을까 싶을 정도로 얼굴도 앳되고 잘생겼다. 그런데 문제는 엉덩이로 웬 사람을 깔아뭉갠 채 그의 머리를 때리고 있다는 점이다.

'어? 쟤는?'

"저 부모 잘 만난 양아치 새끼가……!"

"어? 야! 잠깐!"

사수의 만류를 듣지 못한 채 내린 최재수가 사내에게 성큼성큼 다가갔다.

"예. 카드 대란은 그렇게 마무리해 주시고……."

"이봐요!"

"이따가 다시 전화하죠."

"거기서 얼른 비켜요! 지금 뭐하는 짓입니까!"

전화를 끊은 사내는 능청스럽게 웃었다.

"어이구, 수고하십니다. 이놈이……."

"수고고 나발이고 얼른 비키라고!"

"……어라? 경찰이 상황 파악도 안 하고 반말을 하네?"

"이 사람이 그래도!"

최재수는 얼른 사내를 밀어내기 위해 손을 뻗었다.

그 순간 표정이 딱딱하게 굳은 사내가 그 팔을 꺾어 밀쳤다.

"악! 이 사람이!"

사내는 다시 달려들려는 최재수를 향해 품 안에서 무언가를 꺼내 던졌고, 최재수는 반사적으로 허둥지둥 받았다가 굳어 버렸다.

경찰공무원증.

경찰이었다.

이름 최종혁. 계급은 경위.

"야."

"예, 예?"

종혁은 얼빠진 얼굴을 한 최재수를 빤히 응시했다.

"너 사수 누구냐?"

어떻게 배운 놈이기에 상황 파악도 안 하고서 제압부터 하려 드는지 종혁은 정말 알고 싶었다.

최재수의 얼굴이 하얗게 질렸다.

3장. 그 파출소에선 무슨 일이 벌어지는가

그 파출소에선 무슨 일이 벌어지는가

이른 아침 출근 준비를 하는 종혁에게 어머니 고정숙이 다가섰다.

"줘 봐. 넌 애가 넥타이도 못 매니?"

"사랑합니다, 여사님."

"에휴."

싱긋 웃은 종혁은 무릎을 굽혔고, 고정숙은 두꺼운 아들의 목에 세심하게 넥타이를 매 준다.

종혁은 콧속으로 빨려 들어오는 어머니의 냄새에 푸근히 웃고, 고정숙은 아들의 향수 냄새에 가슴이 울렁였다.

'애가 정말 경찰이 됐구나.'

경찰대학교를 졸업할 때까지만 해도 그러려니 했는데, 경찰로서 첫 출근을 하는 아들을 보니 왠지 싱숭생숭하다.

이제 품 안의 자식이 아니라 한 명의 사회인이 된 아들.

시원하면서도 섭섭한 마음에 고정숙의 손이 느려진다.

조금만 더 품 안에 있기를 바라기에 그녀는 몇 번이나 넥타이를 풀고 다시 매 줬다.

“다 됐어.”

“오. 어때, 괜찮아?”

다 맨 넥타이를 만지며 거울을 앞에 서는 아들을 보니 순간 옛날이 떠올라 울컥했다.

언제나 아침마다 그녀가 챙겨 준 옷을 입고 거울 앞에 섰던 남편.

‘어쩜 제 아빠와 이리 닮았을까.’

성인이 되면서 부쩍 제 아빠의 다부지고 잘생겼던 외모가 드러나는 종혁. 거기에 그녀 본인의 외모까지 섞이니 어디에 내놔도 뿌듯한 아들이다.

“그래. 누구 아들인지 잘 생겼네.”

“당연히 여사님 아들이지.”

“말이나 못하면…… 어? 잠깐, 아들. 너 넥타이 잘 매지 않아?”

“……다녀오겠습니다. 충성!”

종혁은 후다닥 방을 빠져나갔고, 잠시 멍해 있던 그녀는 피식 웃었다. 가끔 이렇게 애교를 피우는 아들이 귀엽지 않을 리가 없다.

잰걸음을 옮긴 그녀가 크게 말했다.

“선배들에게 잘하고, 뭐라고 해도 예 하고! 사고 치지 말고!”

"다녀오겠습니다!"

차키를 챙긴 종혁은 지하 주차장으로 향했다.

* * *

-우리들의 얘기로만!

긴긴 밤이 지나도록!

2004년 상반기 최고의 곡 중 하나가 흘러나오는 차 안.

종혁이 김종두 과장의 전화를 받고 있다.

-진짜 아무리 생각해도 이해가 안 되네.

"또 뭐가요."

-아니, 수석인 너라면 우리 본청만 쫙 돌아도 되는데 왜 하필이면 파출소냐?

광수대와 마약대, 프로파일링수사과 등 본청 모든 부서가 종혁을 기다리고 있었다.

그런데 종혁은 그 모든 기대를 배신하며 순환 근무의 첫 근무지로 파출소를 선택했다.

아시안게임과 올림픽 때문에 대체 복무인 의전경 부소대장을 건너뛰고 바로 순환 근무를 시작하는 종혁.

이건 솔직히 배신이었다.

"어? 지금 파출소 무시하는 겁니까?"

-그 말을 하는 게 아니잖아, 이 자식아!

"흐흐. 알아요. 그런데 파출소는 꼭 들러야 하잖아요."

-……그건 맞지.

파출소는 순환 근무 중 무조건 한 번은 들러야 할 근무지다.

최전방 일선에서 뛰는 파출소 업무를 모르고서야 완벽한 경찰간부라고 볼 수가 없다.

“그냥 가장 먼저 해치우려는 거예요.”

‘그리고…… 꼭 막아야 할 사건도 있고.’

그래서 이 파출소를 찍어 자원한 거다.

―하아. 알았어. 대신 다음 근무지는 꼭 우리 특수다! 알았지?

“아, 그게…… 광수대 대장님과 마약대 대장님, 프로파일링 권 대장님이…….”

―뭐야?! 어떤 놈들이라고?!

종혁은 신경질적인 김종두의 반응에 키득키득 웃었다.

그때였다.

‘어? 저거?’

웬 이상한 놈이 거리에서 난동을 부리고 있다.

―종혁아, 너 설마? 아니지? 그렇지? 말을 해, 이 자식아!

“끊습니다.”

얼른 통화를 종료한 종혁은 그쪽으로 차를 몰았다.

끼익! 탁!

“꺄아악!”

“내가 우스워? 어? 내가 우습냐고!”

차에서 내리자마자 크게 들리는 취객의 주정. 플라스틱 의자를 한 손에 쥔 채 휘두르고 있다.

종혁은 한숨을 내쉬었다.

"첫 출근부터 이게 뭔 지랄인지."

하지만 이게 치안의 최전방, 일선에 있다는 파출소의 맛이다.

하루 24시간 어떤 사건이 터질지 몰라 전전긍긍하는 다이나믹하고 스릴 넘치는 파출소.

종혁은 목을 꺾으며 취객에게 다가갔다.

* * *

"이야, 역시 소문이 무성하던 분다운데요? 어떻게 첫 출근길에 범죄자를 잡아요?"

"하하."

근무복으로 환복을 마치고 총기를 수령하러 온 종혁은 사십대 중년 여성 경장의 말에 머리를 긁었다.

"말 편히 해 주십시오. 한참 어립니다."

경장 이경숙은 눈을 빛냈다.

중간 간부가 알아서 숙여 주는데 좋지 않을 리가 없다.

군대에 '자네가 주임원사인가?'라는 끔찍한 일이 있다면, 경찰엔 '자네가 경장인가?'라는 일이 있다.

매년 대한민국 어딘가에선 벌어지는 일이다.

게다가 미남이다.

절로 엄마 웃음이 나왔다.

이쪽을 보며 꺄꺄 거리는 여경들을 보니 같은 생각 같

았다.

"그럴까? 뭐해? 권총 안 줘?"

그 말에 그녀의 옆에 서 있던 사십대의 경위가 헛웃음을 짓는다. 총기 관리는 그가 하기 때문이다.

"그래, 그래. 총기 번호 확인하고, 여기에 사인하고."

무겁고 싸늘한 총기를 손에 쥔 종혁은 감개무량한 표정을 지었다.

'드디어 정식으로 총기를 수령하네.'

허리 뒤춤에 수갑, 옆구리에 흑단봉.

포승줄 따위가 든 조끼 가슴에 걸린 무전기.

검은색 조끼에 박힌 '경찰' 두 글자.

감회가 새로울 수밖에 없다.

"그런데 준비성 좋네."

이경숙이 검은색 경찰 조끼를 보며 혀를 내둘렀다. 앞에 선 경위도 마찬가지였다.

조끼부터 수갑까지 모두 사제다.

흑단봉도 목봉이 아니라 특수강화 플라스틱으로 만든 사제 물품이다. 모두 김종두 과장 등이 축하 선물로 준 거였다.

"경찰대 수석이라서 그런가? 아님……."

"경숙아, 신입 괴롭히지 마라. 넌 꼭 신입 오면 이러더라?"

"내가 뭘?"

"하하. 그런데 제 임시 사수는 누구십니까?"

파출소 업무를 가르쳐 줄 사수.

순환 근무이기에 진짜 사수도 아니거니와 파출소 기본 업무만 잠깐 가르치고 말 사람.

그래도 회귀 후 경찰 인생에 있어 첫 사수라고 할 수 있다.

"아, 그거? 저기."

경장의 시선을 따라간 종혁은 피식 웃었다.

파출소 한 구석, 차렷 자세를 취한 채 전방 15도를 보고 있는 최재수의 가슴을 말없이 밀치는 오택수 경위.

'저 형님이 이때 여기 계셨구나.'

오택수 경위는 제법 유명하다.

경찰대를 졸업한 선배지만, 워낙 꼴통이라 도통 진급을 못하는 미친개.

서울에서 형사일 하는 사람치고 오택수의 이름을 들어보지 못한 경찰은 없다고 봐야 했다.

종혁도 오택수와 한두 달 정도 합을 맞춰 본 경험이 있었다. 왜 두 달이냐면 그 두 달 만에 사고를 거하게 친 오택수가 징계를 받아 파출소로 전출됐기 때문이다.

덥썩!

이경숙이 종혁의 팔목을 잡는다.

"사인 다 했으면 소장님께 인사드리러 가자. 지금쯤 출근하셨을 거야."

"좀 늦게 출근하시네요?"

"얼마 전에 허리를 삐끗하셔서 물리치료 받고 오시거든."

"아."

고개를 끄덕인 종혁은 파출소장실의 문을 열고 들어가자마자 거수경례를 했다.

"충성. 신고합니다. 경위 최종혁은…… 어?"

"오, 왔어? 출근 첫날부터 한따까리 했다며?"

종혁은 당황했지만, 소장 아니 풀문 나이트클럽 연예인 마약 사건과 4인조 망치 뻑치기 사건에서 합을 맞췄던 남대문서 반장이었던 장철호는 푸근히 웃었다.

"아니, 반장님이 왜…… 설마?"

뭔가를 떠올린 종혁의 얼굴이 딱딱하게 굳었다.

* * *

"정말 좌천당하신 거 아니시죠?"

"좌천은 무슨."

손을 저은 장철호 소장이 커피를 홀짝인다.

"그냥 폐암 때문에 폐 하나 잘라 내고 나니 더 이상 현장에서 버틸 수 없더라고. 그래서 자원한 거야."

"담배 좀 줄이시지."

"시끄러워, 인마."

"흠. 그렇다면 다행이긴 한데……."

그 연예인들의 소속사 혹은 그들과 연결된 권력자가 찍어 누른 게 아니어서 다행이었다.

"몸은 어떠세요?"

"차라리 시골로 갈 걸 그랬나 봐. 어떻게 된 게 반장이던 시절보다 더 빡세냐?"

"하하."

"아무튼 우리 파출소에 잘 왔고, 앞으로 몇 달 동안 잘해 보자."

"옙!"

"자, 그럼…… 내놔."

"네? 뭘요?"

"뭐긴 뭐야, 식대지. 넌 간부니까 15만 원이다."

식사 지원비라는 게 거의 없다시피 한 일선 파출소.

아니, 경찰 전체가 거의 그렇다.

대한민국 경찰은 대한민국의 치안을 이렇게 힘들게 지킨다.

하지만 종혁은 어이없다는 듯 장철호 소장을 봤다.

"아니, 그걸 왜 소장님이 받아요. 총무님이나 계장님 없어요?"

"어, 휴가. 경숙인 총무 아냐."

이 시절 보통 파출소 살림은 남자보다 꼼꼼한 여자가 맡는 게 대부분이다.

"……에이."

종혁은 결국 백만 원 수표를 내밀었다.

"야, 잔말 말고 만 원짜리로 내놔. 거스름 돈 없어."

"저 환영회 하실 거잖아요. 거기에 보태 주세요."

"……그런 거면 땡큐지. 흐흐. 오늘은 목에 소기름 좀 바르겠는데?"

"남으면 원두커피도 좀 사 주세요. 저 믹스 안 마십니다."

"시끄러워. 그런 건 네 돈으로 사."

"어? 정말 그래도 됩니까?"

툭 던졌던 종혁은 눈을 빛냈다.

종혁이 굳이 첫 근무로 파출소를 택한 데엔 막아야 되는 그 사건 외에도 이유가 더 있었다.

그건 바로 이들, 파출소 경찰들의 신임을 얻기 위해서다.

회사 혹은 조직, 이름조차 없는 그들.

'놈들을 일망타진하기 위해선 앞으로 몇 년이 걸릴지 몰라.'

놈들을 수월하게 쫓으려면 무조건 높은 곳에 올라가야 한다.

또한 내 편이 많이 필요했다. 최대한. 아주 많이.

같이 쫓진 못해도 부당한 압력이 들어왔을 때, 한목소리를 내줄 사람들이 필요했다.

치안의 최전방에 있는 이들의 지지는 말할 것도 없다.

원두커피 같은 환경 개선은 그 첫 번째 일환이었다.

장철호 소장은 눈을 빛내는 종혁의 모습에 슬쩍 고개를 돌렸다.

"큼. 위화감만 일으키지 마."

종혁이 얼마나 부자인지 아는 그.

그리고 부족한 예산에 참 많은 게 낡고 허름한 일선파출소.

그렇기에 차마 하지 말라는 소리는 하지 못했다.

씩 웃은 종혁은 몸을 일으켰다.

"그럼 전 업무 시작하러 가겠습니다."

"그래. 수고!"

고개를 끄덕이며 소장실을 나선 종혁은 걸음을 멈췄다.

"저……."

종혁은 다가온 최재수를 빤히 봤다. 그의 뒤로 여자 순경 두 명이 안절부절못하는 표정을 짓고 있었다.

"몇 달?"

"예?"

"시보 시작한 지 몇 달 됐냐고."

"세 달 됐습니다!"

"아…… 그래요?"

알겠다는 듯 고개를 주억인 종혁은 최재수를 스쳐 지나갔다.

아직 사리 분간 못하는 시보에게, 그것도 이미 사수가 있는 시보 화를 내 봤자 괜한 감정 손해였다.

그리고 아무리 일선 파출소의 지지가 필요하다지만, 아닌 놈은 아니었다.

"어? 잠깐……."

뒤에서 화들짝 놀란 최재수가 다급히 불렀지만, 종혁은 무시했다. 그에 발을 동동 구르던 최재수는 이내 얼굴을 와락 구겼다.

"씨발. 언제 봤다고 반말이야?"

한편 오택수 경위를 찾은 종혁은 오늘 출근길에 사 온 간식을 내밀었다.

"아침엔 실례 많았습니다. 최종혁입니다. 앞으로 잘 부탁드립니다."

"……하아. 아니야. 저 꼴통 새끼가 잘못한 건데 뭐. 어휴, 저 꼴통 새끼. 아, 말 편하게 해도 되지?"

"크큭. 고생 많으시겠습니다."

"어쩌겠어. 저런 놈도 한 명의 경찰로 키워야 하는 게 사수로서의 역할인데."

미친개가 했다곤 생각할 수 없는 올바른 말.

하지만 종혁은 놀라지 않았다.

'이 형님 성격 여전하시네.'

미친개, 꼴통이라 불리는 건 바로 이런 성격 때문이다.

경찰로서의 사명감이 너무도 크기에 그 어떤 상황에서건 절대 타협하지 않는 성격.

고개를 설레설레 젓던 오택수 경위는 '어라?' 하며 고개를 모로 기울였다. 방금 전 대화가 꽤 매끄러웠던 탓이다.

고슴도치 같은 제 성격을 알고 있는 오택수 경위로서는 의아할 일.

그는 싱글벙글 웃고 있는 종혁을 빤히 봤다.

'이놈 뭐지?'

어째선지 굉장히 친숙하다.

오늘 처음 만난 건데.

"그런데 나 안 불편해? 나 마스크 별로인데?"

"제가 아는 형사님들과 비교하면 천사 같으신데요?"

"아, 그건 맞지. 내가 걔들보단 미남이지. 그런데 뭘 이런 걸 사 왔어. 지금 돈 많다고 자랑하는 거야?"

종혁이 어떤 존재인지는 모두 알려진 상태다.

사건 해결도 해결이지만, 1년에 경찰에 몇 억씩 기부하는 재력가의 아들.

종혁이 생도 시절부터 한 돈지랄(?)은 그냥 유명했다.

이렇게 돈도 많은데 앞으로 엘리트 코스까지 밟을 어린 경찰 간부다. 솔직히 불안하지 않다면 거짓말일 거다.

그래서 말이 본인의 의지와 다르게 살짝 날카롭게 나갔는데 종혁의 반응이 가관이었다.

"제가 좀 곱게 자라서 아무거나 못 먹거든요."

"……풉!"

"푸핫!"

종혁은 웃었으면서도 곧 정색하며 뭐 이런 놈이 다 있냐며 쳐다보는 오택수 경위와 다른 경찰들을 향해 씩 웃어 줬다.

"앞으로 우리 파출소 간식은 제가 책임질 테니 맡겨만 주십시오. 충성, 충성."

"아니, 그럴 필요는……."

"먹자골목에서 폭력 사건 발생. 인원은 7명. 인근 고등학교 학생들로 보인다. 인근 순찰차 출동 바람."

모두의 시선이 뒤에 앉아 있던 사십대 경장에게로 향했다가 한숨을 쉬었다.

사건이었다.

"경찰대 수석, 민원 업무 시작 전에 한따까리 어때?"

"뭐해요. 안 가십니까?"

"푸하핫. 그래. 가자, 가. 야, 최꼴통! 뭐해, 이 새끼야!"

그들은 사건 현장을 향해 달리기 시작했다.

그렇게 파출소에서의 업무가 시작되었다.

* * *

무전을 통해 사건의 내용 보강이 이뤄졌다.

폭력 사건이 아니라 그냥 십대 양아치들이 같은 학교 학생의 돈을 갈취하는 소위 삥을 뜯는 사건이었다.

달달달!

뒷좌석에 앉은 종혁은 보조석에 앉아 다리를 떠는 최재수를 심드렁히 응시했다.

일견 평온해 보이지만 흥분에 젖어 있다.

'3개월 차라고 하지 않았나?'

파출소 근무 3개월이면 쓴맛, 단맛, 똥맛 다 겪고 어느 정도 차분해져야 맞는 시기다.

'……하긴, 뭐 시보니까.'

고작해야 약 1년 정도 중앙경찰학교에서 교육을 받고 시보로서 현장에 배치됐다. 경찰로서의 사명감보다는 사건 하나하나에 예민하게 반응할 시기다.

게다가 한창 혈기 넘칠 이십대.

거기까지 생각한 종혁은 피식 웃었다.

'이건 뭐 개구리 올챙이 적 생각 못하는 것도 아니고.'

솔직히 회귀 전 종혁 본인은 최재수보다 더 답이 없었다.

고개를 저은 종혁은 입을 열었다.

"아, 전 저 앞에서 세워 주십시오."

"응? 왜?"

"누군가는 퇴로를 확보해야죠. 순 17 지원 가겠습니다."

"……관내 지도를 고새 다 외웠어?"

"발령지 정해지고 몇 바퀴 둘러봤습니다."

"역시 수석답네. 준비성이 크! 누구랑 참 달라. 응?"

최재수의 얼굴이 와락 구겨진다.

코웃음을 친 오택수는 차를 세웠다.

"오케이. 이따가 보자고."

"옙. 다치지 마십쇼."

경찰차에서 내린 종혁은 무전기 버튼을 눌렀다.

"순 31, 순 17 지원 종발. 순 31. 순 17 지원 종발."

순 31. 종혁에게 배정된 번호이고, 지원 종발은 순 17을 지원하기 위해 출발하겠다는 뜻이다.

"자, 그럼 가 볼까?"

통통 제자리에서 뛴 종혁은 그대로 땅을 박찼다.

바람이 매섭게 부딪쳐와 산산이 부서져 뒤로 밀려났다.

그렇게 달리던 그는 곧 먼저 순찰을 나가 아침에 보지 못했던 경찰들을 발견할 수 있었다.

"최종혁 경위입니다. 오늘부터 잘 부탁드립니다."

못 보던 경찰의 등장에 화들짝 놀랐던 순경과 경사가 환하게 웃으며 거수경례를 한다.

"잘 오셨어요. 순경 김상혁입니다."

"경사 박주철입니다."

가볍게 인사를 나눈 그들은 골목 안으로 진입했다.

신고가 접수된 장소의 골목길과 연결된 골목.

그쪽에서 도망을 친다면 무조건 이쪽으로 오는 수밖에 없다.

"택수 형님은 저쪽으로 가셨습니까?"

"예. 곧 올……."

타다다다다닥!

"씨발! 왜 짭새가!"

"몰라! 튀어!"

굽이쳐진 골목 안에서 들려오는 외침들.

"양아치라서 그런지 양반은 아니네요."

"푭!"

몸을 들썩이던 둘은 묘한 눈으로 종혁을 봤다. 새로 부임한 초임 간부는 아무래도 꽤 유쾌한 것 같았다.

하지만 그건 그거고, 이건 이거다.

"어떻게 하실래요?"

'음?'

왠지 두 경찰의 눈에 기대하는 눈빛이 번진다.

의아해하던 종혁은 피식 웃었다.

'신고식인가?'

어쩌면 그냥 실력을 알아보자는 의미일 수 있다.

앞으로 반년 넘게 함께해야 되기에 등을 맡길 수 있는지에 대한 실력 테스트.

이에 종혁이 할 수 있는 답은 하나였다.

"아이구. 맡겨 주시면 저야 감사하죠."

종혁은 어깨를 돌리며 앞으로 나섰고, 점점 커져 가던 발소리는 곧 제 주인들을 드러냈다.

"으악!"

"씨발!"

깜짝 놀라 멈춘 범인들.

종혁은 기대감이 더 차오른 경찰들의 시선을 느끼며 팔을 들어 까딱였다.

"야. 이리 와, 이리 와."

"풋!"

등 뒤에서 들리는 반응에 씩 웃은 종혁은 일진들을 쭉 둘러봤다.

"니들이 올래? 내가 갈까? 튀는 건 너희들 자유인데, 한 놈이라도 잡히면 다 뒤지는 거다."

그러며 쥐어지는 우악스럽게 큰 주먹을 본 일진들은 울상을 지었다.

"……씨발."

일진들은 어깨를 축 늘어트렸다.

그 순간.

타다다닥!

"헉! 헉헉! 야-!"

종혁은 코피를 흘리며 나타나는 최재수를 보며 한숨을 내쉬었다.

'넌 또 왜 다친 거니.'

* * *

동급생의 돈을 갈취하고 괴롭힌 고등학생들로 인해 파출소가 시끄러워졌다.

"한 번만 봐주세요! 아빠 알면 저 죽어요!"

"진짜 오늘이 처음이에요!"

종혁은 앞에 앉아 징징거리는 일진들을 한심하다는 듯 응시했다.

결국 이런 놈들이다.

강약약강.

또래의 약자에겐 한없이 강하지만, 저희를 짓누를 강자 앞에 서면 이렇게 애로 변해 버리는.

그래서 사람대우를 하기가 싫었다.

이렇게 자기들이 잘못한 걸 아는데도 반성하는 기미조차 보이는 놈이 하나도 없어서 더.

"시끄러워, 이 새끼들아. 시끄러워. 시끄러워."

딱! 딱! 딱!

휘둘러지는 서류철에 감정이 담겼다.

"악! 아악!"

서류철 모서리로 얻어맞은 일진들이 정수리를 붙잡은 채 끙끙거린다.

"그렇게 돈이 좋으면 알바를 할 것이지. 쯧. 이름."

일진들의 눈이 데구루루 구른다.

"씨, 씨발! 경찰이 이래도 돼요?! 막 사람 때려도 돼요?!"

"씨발?"

종혁은 헛웃음을 터트렸다.

"그, 그래요. 씨발!"

쾅!

무리 중 대장으로 보이는 놈이 책상을 발로 차며 벌떡 일어난다.

"……하아. 내가 너무 좋게 대했나?"

'나 때는 그래도 경찰과 어른은 무서워했는데.'

청룡 쇼바를 장착한 오토바이로 빠라빠라빠라밤 정도는 해야 일진 축에 껴 줬던 90년대.

쇠파이프에 목검, 각목으로 패싸움을 벌이며 경찰과 목숨을 건 추격전을 벌여도 일단 잡히면 그래도 이렇게 대거리는 하지 않았다.

'아…… 하면 맞았지, 참.'

그래도 90년도에서 몇 년이나 지났다고 십대들이 이러는 걸 보니 세월이 참 빠르다는 걸 느낀다.

천장을 보며 허허롭게 웃던 종혁이 몸을 일으켰다.

"왜, 왜? 치시게? 쳐 봐. 쳐봐! 경찰이 학생 치고 좋겠네!"

"후우우. 앉아."

"쳐 보라……."

"앉으라고."

오싹!

순간 일진 대장과 일진들의 등골을 타고 소름이 내달렸다.

유리알처럼 투명한 눈동자.

마치 호랑이가 코앞에 있는 것처럼 숨이 턱 막혔다.

……꿀꺽!

"씨, 씨발……."

슬그머니 앉으면서도 끝까지 가오를 지키려는 일진 대장의 모습에 고개를 저은 종혁은 다시 키보드에 손을 얹었다.

"말로 할 때 좋게 가자. 알았지? 이 아저씨가 정말 화나면…… 어휴, 말해 뭐하냐. 됐고. 너부터 이름."

"……김승광이요."

"학교."

이때부턴 쉬웠다.

맹수 앞의 토끼가 된 일진들은 모든 걸 순순히 말했고, 빠르게 마무리를 지은 종혁은 손을 저었다.

"다 됐으니까 저기 가서……."

'뭐야, 재 왜 아직도 저기 있어?'

피해 학생이 파출소 구석의 벤치에 앉아 눈치를 보고 있다.

순간 골이 띵해진 종혁은 최재수를 봤다.

왜인지 종혁을 노려보며 입술을 깨물고 있는 그.

'아니, 저건 아직까지 매뉴얼도 숙지 못했나!'

피해자와 가해자는 절대 같은 공간에 두지 않는다.

기본 매뉴얼이다. 물론 이걸 지키지 못하는 경찰이 많다지만, 그래도 시보라면 당연히 떠올렸어야 할 일이다.

"……한 순경, 저기 피해자를 회의실로 안내해 줘요. 그리고 달달한 것도 좀 드리고. 부탁할게요."

"네? 아, 네!"

최재수와 동기인 한승연 시보 경찰.

그녀가 피해자를 달래며 안으로 데려가자, 종혁은 멀뚱히 쳐다보는 일진들을 향해 다시 입을 열었다.

"보호자들 올 때까지 저기 가서 무릎 꿇고 손들고 있어."

"……씨이, 쪽 팔리게."

따악! 딱! 딱!

"구시렁거리지 말고 얼른 가."

얼굴이 구겨진 일진들은 입술을 비죽이며 종혁이 가리킨 곳으로 향해 무릎을 꿇고 양팔을 번쩍 들었다.

"거기서 1센티만 내려와 봐. 아주 그냥. 그리고 김승광, 너는 여기 책상 기물파손 혐의도 추가될 테니까 그렇게 알아."

"아오, 씨발."

종혁은 구시렁거리기 시작한 일진들을 뒤로하며 안쪽 회의실로 향했다.

그러다 가는 길을 막고 서 있는 최재수의 도전적인 눈빛에 종혁은 살짝 혈압이 오르는 걸 느꼈다.

'이 모자란 놈은 아까부터 뭐가 이렇게 불만이지?'

분명 오늘 처음 보는 사이임에도 계속 이런 눈빛으로 쳐다봤다. 사과를 할 때도 억지로 하는 티가 팍팍 났다.

"왜 그러십니까?"

종혁은 오택수 경위를 찾았다.

마음 같아선 늘씬 패 버리고 싶은데 그럴 수가 없었다. 최재수가 오택수의 파트너이기 때문이다.

다른 말로 부부, 마누라.

파트너를 혼내고 가르칠 수 있는 건 사수뿐이었다. 그 어떤 상황에서도 타인이 그 권한을 넘봐선 안 됐다.

종혁은 한숨을 쉬며 몸을 일으키는 오택수의 모습에 다시 최재수를 봤다.

"덕분에 여기 계신 분들이 얼마나 착한지 알 것 같네요, 최재수 시보."

"예? 그게 무슨……."

"정말 참 좋은 사람들과 일하네요. 정말 참…… 좋은 사람들과."

우드득!

"악! 아아악!"

최재수의 승모근을 잡아 비튼 종혁은 씩 웃으며 다시 걸음을 옮겼고, 이내 '따라와, 새끼야'라고 중얼거린 오택수가 최재수의 귀를 잡아 비틀며 위층으로 향했다.

"악! 자, 잠시만요!"

버둥거리면서도 끝까지 노려보는 최재수를 무시하며 회의실의 문을 열고 들어가니 따뜻한 커피 냄새와 함께 한승연이 활짝 핀 얼굴로 맞이한다.

많이 어색했던 것 같다.

고맙다는 듯 고개를 끄덕인 종혁은 고개를 숙이고 있는 남학생을 향해 고개를 내밀며 푸근히 웃었다.

"미안해요, 학생. 많이 기다렸죠? 이 아저씨는 최종혁이라고 해요. 이름이 뭐예요?"

"……염상철이요."

너무 작게 말해서 잘 들리지 않았지만 종혁은 용케 캐치했다.

그러며 다행이라고 생각했다. 달달한 믹스커피가 움츠리고 겁먹은 마음을 조금이라도 펴 준 것 같아서.

이래서 달달한 걸 주라고 했던 거다.

사람의 마음을 진정시키는 덴 단것만큼 좋은 게 없었다.

"어이구, 멋진 이름이네. 나이는요?"

"17살이요."

"크. 나도 17살이었던 적이 있는데. 부럽다, 부러워. 피부가 진짜…… 어휴."

고개를 숙인 소년의 입가가 꿈틀거리는 걸 목격한 종혁은 피식 웃으면서도 치미는 한숨을 겨우 눌렀다.

170cm를 살짝 넘기는 키에 왜소한 몸.

움츠린 어깨와 이리저리 흔들리는 눈동자에선 불안과 초조가 가득 느껴진다.

그 모습에 몇 달 전 입대한 친구 박수호의 학창 시절이 오버랩됐다.

'왜 매번 피해자만 이렇게 무서워해야 되는 거냐, 진짜.'

이래서 일진을 사람대우 할 수 없는 거다.

'개새끼들.'

종혁은 애써 웃었다.

"하하. 간단하게 조사만 마치면 바로 가게 해 줄 테니까 조금만 협조해 줘요. 그렇게 해 줄 거죠?"

……끄덕.

"자, 그럼 이름부터 시작해 볼까요?"

그렇게 시작된 염상철의 진술은 정말 종혁의 말처럼 빨리 끝났다.

"수고했어요, 염상철 학생. 이제 그만 가 봐도 돼요."

진술을 다 끝냈건만 왜인지 우물쭈물거리던 염상철은 이내 울상을 지으며 일어섰다.

뭔가를 포기했는데 그게 억울하고 또 뭔가에 화난 표정.

"……안녕히 계세요."

한층 더 낯빛이 어두워진 염상철은 회의실을 나섰고, 종혁은 담배를 물었다.

찰칵! 치이익!

"할 말 있는 것 같은데 해 봐요."

움찔!

몸을 굳히며 갈등하던 그녀는 곧 입술을 깨물었다.

"방금 전 염상철 학생이 돈을 뺏긴 적 없다고 말했잖아요. 그런데 왜……."

그랬다. 염상철은 맞긴 맞았는데 그냥 친구끼리 장난이라고, 돈을 뺏긴 게 아니라 빌려준 거라고 말했고, 종혁은 그걸 그대로 받아 적었다.

"분명히 저 학생은 밖에 있는 애들에게 돈을 뺏긴 거 맞잖아요! 신고도 접수됐고요!"

"그래서? 그걸 말하면?"

"……네?"

종혁은 한승연을 봤다.

당신도 똑같구나라는 듯 실망으로 물들어 가는 그녀의 시선.

"그래요. 어떻게든 어르고 달래서 진술하게 했다 칩시다. 그러면 저 밖에 있는 새끼들이 소년원에 갈까요, 안 갈까요?"

안 간다. 그냥 봉사 활동이나 하다 끝날 거다.

선생들이 어떻게든 합의를 보려고 덤빌 테니까.

혹여 소년원에 간들 2개월이나 살다 나올까.

그때부턴 염상철에겐 지금보다 더한 지옥이 펼쳐질 거다.

"여기까진 생각 안 했지?"

생각 없이 말하는 그녀를 보니 절로 반말이 나온다.

"……."

"한 시보, 당신이 뭐에 실망한 건지는 알겠는데……."

아마 한승연은 이 파출소에 있는 동안 이런 모습을 많이 봤을 것이다. 그러니 그런 시선을 보낸 것일 터였다.

“최소한 그런 거에 실망할 거면 자신이.”

종혁은 그녀의 가슴팍에 달린 경찰 명찰을 가리켰다.

“경찰로서의 자신이 뭘 해 줄 수 있는지에 대해 생각하고 말합시다. 저기 밖에 계시는 선배님들이 이걸 몰라서 저런 새끼들을 가만 두는지 알아?!”

“흡!”

깜짝 놀란 그녀는 이내 얼굴을 붉히며 고개를 숙였다.

종혁은 묘한 눈빛으로 그런 그녀를 위아래로 훑어보다가 핸드폰을 들었다.

“어, 그래. 형이야. 잘 지냈지? 나도 잘 지냈지. 아, 다름이 아니라 이번에 청일고 졸업한 놈이 있으면 나한테 전화 좀 달라고 해 줄 수 있을까?”

“……!”

종혁이 통화를 하자 조심스럽게 몸을 일으켰던 한승연이 깜짝 놀라 그를 본다.

청일고는 염상철과 밖의 일진들이 다니는 학교였다.

“이번에 형이 이쪽으로 발령 왔는데, 청일고 쪼꼬미들이 지랄을 하네? 누구? 김동현? 아, 우리 유도 상비군 2군 중에 그 학교 출신이 있어? 막내야? 잘됐다. 시간 한번 만들어 봐. 어, 그래. 수고.”

전화를 끊은 종혁은 멍하니 쳐다보는 한승연을 보며 고개를 모로 기울였다.

"왜요? 더 할 말 있습니까?"
"아, 아닙니다! 충성!"
경례를 한 한승연이 후다닥 회의실을 빠져나가자 종혁은 피식 웃었다.
"그래도 배우긴 제대로 배웠나 보네."
방금 전 혼이 났어도 끝까지 잘못했다고 말하지 않은 모습이 썩 마음에 들었다.
경찰이라면 응당 저래야 한다.
피해자를 보호하고, 약자를 보호하며 시민을 보호하는 것.
그러기 위해서라면 제 몸뚱어리가 부서진다 해도 무엇이든 하는 것.
설사 그게 상급자에게 대드는 일이라도.
그게 경찰로서의 사명감이다.
그녀는 그 사명감대로 말한 것뿐이기에 아무런 잘못이 없는 거다. 그저 불타는 사명감에 시야가 좁은 것일 뿐.
이걸 넓혀 주는 건 바로 종혁 본인 같은 선배 경찰들이 해야 할 일이다.
많은 범인을 잡는 것보다 단 한 명이라도 억울한 피해자를 만들지 마라.
경찰이라면 응당 가슴에 새겨야 할 말이다.
"거참, 시보만 아니라면 제대로 가르쳐 주련만은……."
법과 매뉴얼을 소화하는 것만으로도 벅찬 시보 생활.
어르고 달래며 가르치다가는 결국 스스로 생각할 수 있

는 버릇을 기르지 못한다. 중요한 상황에서 누군가를 의지하게 될 테고, 그러면 결국 현장에서 대형 사고가 터지게 된다.

현장에서 사고는 인명 사고.

그 꼴을 너무 많이 겪으며 범죄자도 많이 놓쳤던 종혁으로선 절대 타협할 수 없는 문제였다.

"뭐, 고작 이런 질책조차 견디지 못한다면 경찰을 할 자격조차 없는 거지."

부딪치고 박살 나며 깨지고 깨져야 한 사람 몫을 하는 경찰이 되는 법이었다.

"그나저나 계속 신경 쓰이네……."

삥을 뜯기는 아이들을 볼 때면 항상 예전 수호의 일이 떠올라서 그런지 더 눈에 밟혔다.

당시 수호가 몇 년간 지독하게 갈취를 당했던 것처럼 스케일이 크다면 가해자들이 확실하게 처벌을 받도록 만들 수 있다.

하지만 그 외의 경우엔 경찰들이 제아무리 나서도 단속하기 쉽지 않기에 더더욱 마음이 불편했다.

결국 할 수 있는 건 방금 전처럼 힘이 있는 학생들로 하여금 단속을 해 달라고 부탁하는 방법밖에 없었다.

"하아."

한숨을 내쉬며 오늘따라 한숨이 많다고 생각한 종혁은 회의실 문을 열고 나갔다.

그러다.

흠칫!

소장과 몇몇 나이 든 경찰들이 회의실 옆에 서서 묘한 표정을 짓고 있었다.

"왜 그러십니까?"

"……아냐, 아냐. 일해."

"어후. 조서 쓰는 거 보니까 안 가르쳐도 되겠던데? 역시 수석이라 똘똘해?"

어깨를 툭툭 치며 흩어지는 그들.

종혁은 고개를 모로 기울였다.

"……왜 저래?"

뭔가 찜찜했다.

* * *

시끌시끌. 왁자지껄.

사방에서 고기 굽는 냄새가 가득한 한우집.

주간 근무조 13명이 한우의 영롱한 선홍빛 자태에 눈을 붉히고 있다.

'짠돌이 소장님이 웬일이래?'

'회비로 감당되려나?'

환영식이라고 하기에 장난으로 한우를 외친 그들이지만, 정말 올 줄은 몰라서 당황한 그들이다.

"자자, 주목!"

모두의 시선이 소장에게로 향했다.

"오늘 모두의 의견에 따라 한우집에 왔지만, 누구 덕분에 한우를 씹는지는 알아야 할 거 아냐."

이번엔 종혁에게로 시선이 옮겨진다.

"여기, 오늘부터 한 식구가 된 최종혁 경위가 본인 환영식을 위해 거금 85만 원을 투척했으니까 모두 박수로 맞이해 주도록 해."

화들짝!

"워후!"

"역시 경찰대 수석은 통부터 다르네!"

'어이구, 그걸 또 왜 말하시나.'

살짝 난처해졌던 종혁은 몸을 일으켰다.

"오늘 저를 지켜보시며 만족하셨는지 모르겠습니다."

경찰들의 몸이 살짝 굳고, 종혁은 미소를 지었다.

아침의 일진 사건부터 퇴근 전까지 거의 모든 업무가 종혁에게 부담됐다. 민원 업무부터 시작해 총 14번의 출동까지.

오늘 주간에 있던 사건 중 60퍼센트를 종혁이 감당했다.

신고식이었던 거다.

종혁이 이걸 모를 줄 알았기에 놀랐던 그들은 이내 묘한 눈으로 종혁을 봤다.

파출소 베테랑도 힘들어하던 진상들을 단숨에 제압하고 진정시켰던 종혁.

이게 과연 가능한가 싶었다.

하지만 하난 알 수 있었다. 파출소에 괴물 같은 신입이 들어왔다는 걸 말이다.

"여러 선배님들의 기대에 부응하는 똘똘한 후배가 될 테니 부디 많은 사랑과 관심 부탁드리겠습니다. 자, 그럼 홍익파출소를!"

종혁이 소맥이 말린 잔을 들자 모두도 황급히 잔을 든다.

"위, 위하여."

"홍익파출소를-!"

"……위하여-!"

채재재챙!

"캬흐!"

"좋다!"

"뭣들 해! 얼른 불판에 고기 안 올리고!"

"옙!"

회식 자리는 곧 시끌벅적해졌다.

"고기가 부족하진 않아? 더 가져다줄까?"

슬그머니 다가온 사장이 웃으며 묻는다.

"아뇨, 아뇨. 부족하면 더 시키겠습니다."

"어허. 최 주장이 우리 딸애에게 어떤 걸 해 줬는지 아는데, 내가 이런 것도 못 사 줄 것 같아?"

태권도 국가대표 상비군 딸을 둔 한우집 사장.

그에게 있어 태릉 피트니스를 세워 많은 수많은 상비군 선수들을 트레이너로 고용한 종혁은 은인이나 다름없었다.

"오늘 첫 발령을 받은 것 같은데 내가 이 정돈 해 줘야지."

"예, 그러니까 더욱 안 되죠. 뇌물로 걸려요."

그 법이 없는 시기라도 위험하다.

"융통성 없다고 생각하시더라도 이해 부탁드릴게요."

"끙. 그럼 서비스는 괜찮지?"

"팍팍 부탁드리겠습니다! 그리고 돈 안 받으시면 평생 여기 안 올 겁니다!"

"……쩝! 오케이!"

만족스럽게 웃은 사장이 떠나자 시선을 돌렸던 종혁은 흠칫 몸을 굳혔다. 장철호 소장을 비롯한 주위 경찰들이 묘한 눈으로 보고 있었기 때문이다.

장철호 소장은 종혁에게 술을 따랐다.

"작년 연말에 그 사건은 어떻게 된 거야? 우리나라 최초의 밀실 살인이었다며?"

주위 경찰들의 눈빛이 돌변한다.

"맞아. 이란성 쌍둥이 동생이 범인이었다며?"

종혁은 얼른 말해 보라는 시선에 결국 입을 열 수밖에 없었다.

흥미가 가득했던 그들은 자세한 내막을 알게 되자 한숨을 푹 쉬며 술을 들이켰다.

"지랄이네, 지랄이야."

"밀레니엄 지난 이후부터 사건이 좀 괴악해지지 않아?"

"그러게. 하, 진짜 세상이 어찌 되려는지."

종혁도 동감이었다.

언론 등 대중매체, 인터넷 등을 통해 개개인이 받아들

이는 정보가 많아질수록 더 진화하는 범죄들.

경찰 된 입장으로서 입맛이 쓸 수밖에 없었다.

“아, 그리고 곧 경찰 전용 메신저가 도입될 테니 알고 계세요.”

“메신저? 아, 그 넷틱온처럼?”

“버디프랜드에서 제작한 건데, 늦어도 이번 달 안에 배포될 겁니다.”

밀실 살인 사건의 피해자였던 구성훈.

그가 고맙다며 만들어 준 선물이다.

기어코 선물을 주고 싶다기에 종혁이 부탁했다.

“뭐야, 그럼 이제 지시도 그걸로 내려야 하는 거야?”

“아, 그건 소장님 마음이시죠. 그냥 일할 때 동선을 줄이자는 의미로 청장님이 채택한 거예요.”

이걸 시작으로 신고 접수나 전달 체계도 차츰 바뀌게 될 거다.

미래처럼.

“이야. 기룡 선배가 지휘봉 잡으니까 뭔가 달라도 달라지네.”

“그러게요. 예산도 증대됐고. 요새 일하기 편한 것 같아.”

종혁은 생각에 잠기는 그들을 뒤로하며 다른 테이블로 옮겼다.

종혁 본인의 환영회다. 여러 사람과 친해져야 했다.

“오 경위님? 제 술 한 잔 받으시죠?”

“그럼! 경찰대 수석 환영회인데 수석의 잔을 안 받을

수 없지!"

'……이 양반 끝까지 수석이라고 하네.'

아직 인정을 받지 못한 거다.

뭐 고작 하루니 당연한 거지만, 얼른 제대로 불리고 싶다는 열의가 솟는다.

종혁은 그걸 꾹 누르며 활짝 웃었다.

그렇게 오택수뿐만 아니라 같은 테이블 경찰들과 이런저런 이야기를 나누던 종혁은 다시 몸을 일으켰다.

"어이구, 제가 좀 늦었죠?"

술이 몇 잔 돌자 슬그머니 따로 자리를 만든 여경들이 환한 미소로 반긴다.

"어서 와. 얼른 와. 후딱 와. 자, 여기 내 옆으로."

"오. 그럴까요?"

이경숙을 포함한 여경과 시보들이 꺄르르 웃는다.

이래서 잘생긴 게 중요한 것 같았다.

그러다 이경숙이 눈을 빛냈다.

"최 경위. 소장님이 그러시던데 원두커피 살 거라면서?"

여경들이 눈을 크게 떴다.

원두커피.

생각지도 못했던 거다.

예산이 쥐꼬리만 한 파출소라 꿈도 못 꾼 게 아니라 아예 생각조차 안 했다. 그래서 얼마나 놀랐는지 몰랐다.

'어이구. 말을 먼저 꺼내 주시네.'

경찰 전체를 따졌을 때 그 비율이 굉장히 낮기에 더욱 끈끈한 네트워크를 가지는 여경들.

이들의 신임은 당연히 얻어야 했다.

“왜요? 이 경장님 것도 사 올까요? 아니, 아예 다 드실 수 있도록 대량으로 사 올까요? 뭐 더 필요한 거 있으세요?”

“뭐? 정말? 여기 순경들 것까지?”

비싼 원두커피기에 경장 이상 간부만 마시게 될 줄 알았던 그녀들은 경악할 수밖에 없었다.

“순경은 식구 아닌가?”

이건 진심이었다.

종혁은 놀라는 그들을 보며 씨익 웃었다.

‘됐네.’

자고로 먹을 거 주는 사람을 싫어하는 사람은 없는 법이다.

그렇게 회식은 깊어졌다.

부어라 마셔라 1차에서 끝장을 보자 모두가 취해 갔다.

그러던 가운데.

텅!

최재수가 빈 술잔을 강하게 내려놓으며 앞에 앉는다.

“오늘 나한테 왜 그러신 겁니까? 우리 초면 아닙니까? 예? 나에 대해 대체 뭘 알기에 그렇게 마음에 안 드는 건데!”

빨갛게 달아오른 얼굴과 풀린 눈.

종혁은 헛웃음을 터트렸다.

'이 새끼 선 넘네?'

파출소 생활이 생각보다 더 다이나믹해질 것 같았다.

* * *

"어으……."

"무울……."

다음 날, 주간 근무를 시작해야 되는 대부분의 경찰들이 책상 위에 엎어져 흐느적거린다.

"어휴. 어제 대체 얼마나 마신 거야?"

"우리 빼고 환영회 하니까 좋았어요?"

"몰라……. 5병 이후로 기억이 안 나."

1차 한우집, 2차 노래방, 3차 호프집.

그 이후로 기억이 없다.

집에 들어간 게 용했다. 아니, 깨어나서 가족에게 듣기로 종혁이 집 앞까지 데려다줬다고 한다.

'그놈은 주량도 괴물인가?'

그들이 기억하기로 종혁이 마신 소주만 10병이 넘었다.

"자기들만 오지게 마시고. 에라이."

"이 사람들 이제 동료 아니야."

벌컥!

"곧 날 잡을 테니 선배님들도 오시죠! 어젠 제대로 인사 못 드려서 죄송합니다. 최종혁입니다! 앞으로 잘 부탁드리겠습니다!"

죽어 가던 모두와 달리 쌩쌩한 종혁이 멍하니 쳐다보는 경찰들을 향해 싱긋 웃어 주었다.

"자, 사망하신 분들은 숙취해소제랑 시원한 배 음료 받아 주시고."

"뭐야? 러시아 거야?"

숙취해소제에 적혀 있는 러시아어.

KGB 요원들이 술 상무 작전을 펼칠 때 복용했던 제품이라며 나탈리아가 적극 추천한 숙취해소제다.

"패잔병 선배님들을 위해 특별히 공수한 거니 얼른 드시고 정신 차려 주십시오. 업무 시작해야죠."

"저런 씨!"

"어휴. 그래 젊음이 무기다, 무기야."

어젯밤 환영회로 부쩍 친해진 그들에게 종혁은 알약과 배 음료를 나눠 줬다.

최재수만 빼고.

뭔가 할 말이 있는 듯 입술을 오물거리는 최재수를 외면한 종혁은 탈의실로 향했다.

덜컥!

"크?"

고약한 술 냄새가 코를 찌른다.

탈의실 중앙 평상에 오택수 경위가 팬티 차림으로 누워 있다. 숙취를 이기지 못하고 뻗은 것 같다.

"선배님, 숙직실 가서 주무세요. 선배님."

흔들었지만 깨어나질 않는다. 혼절한 것 같았다.

한숨을 내쉰 종혁은 배정받은 철제 캐비닛을 열었다.

'흠. 여자도 여기서 환복하나 보네.'

한승연이라 적힌 이름표가 옆옆 캐비닛에 걸려 있다. 어젠 첫 출근이라 흥이나 발견하지 못했던 부분이다.

"탈의실 분리를 건의해야 되려나."

미래엔 당연한 일.

굳이 여경들을 위해서가 아니다. 공간이 분리되면 남성도 편하기 때문이다.

남자라서 내색을 안 했을 뿐, 사사로운 대화나 옷차림 등 남성도 여성만큼 신경을 쓴다.

아마 이 외에도 불편한 게 많을 것이다.

앞으로 고쳐야 할 게 많을 듯했다.

'이렇게 고칠수록…….'

"수석아."

"깨셨으면 얼른 옷 입으십시오. 곧 근무 시작입니다."

"재수 미워하지 마라. 걔가 멍청하고 눈치 없어도 하나를 가르치면 그건 기억하는 놈이야."

종혁은 오택수를 봤고, 벌떡 몸을 일으킨 오택수는 옷을 갈아입고 탈의실을 나갔다.

쿵!

종혁은 닫힌 문을 보며 피식 웃었다.

"그래도 사수라고 챙기시네."

겉으론 쌀쌀맞고 예민해도 이렇게 잔정이 많은 오택수.

하지만 일에 관해선 그 누구와도 타협하지 않는 경찰이다. 방금 그 말 덕분에 최재수에 대한 평가가 살짝 상향됐다.

"……뭐 지켜보면 알겠지."

솔직히 크게 미워하는 것도 아니었다.

'그렇게 마음에 안 드는 건데!'라고 꼬장을 부리더니 '진짜 신고식은 이거다'며 술 싸움을 걸기에 글라스에 소주를 가득 담아 상대해 줬다. 그랬는데 고작 다섯 잔 만에 기절했다.

최재수는 그냥 나이 많은 애였다.

아이를 진심으로 미워할 어른은 없었다.

환복을 마친 종혁은 탈의실을 빠져나갔다.

쿵!

오늘은 부디 별일 없기를 바라는 근무가 시작됐다.

* * *

"오늘 저녁 10시부터 음주운전 단속하는 거 알지?"

야간 근무 회의를 위해 모인 회의실에 폭탄이 떨어진다.

탄성을 터트린 경찰들이 고개를 숙인다.

종혁도 마찬가지다.

야간 근무로 돌아서자마자 음주운전 단속이다.

기분이 썩 좋을 리 없었다.

그들은 누가 나갈지 눈치 싸움을 시작했다.

"다치지 않게 조심하고. 누가 너희 몸 챙겨 주는 거 아니잖아."

"옙!"

그렇게 회의가 끝나자 모두 일지를 들고 일어섰다.

그런 그들을 보며 담배를 물던 장철호 소장이 순간 아차 했다.

"아, 그리고 내일부터 탈의실 공사할 거니까 그렇게들 알아."

몸을 돌린 경찰들은 눈을 껌뻑였다.

"남녀탈의실 분리 이용 시범케이스로 우리 파출소가 선정됐대."

"왜요?"

"몰라. 청장님 특별 지시래. 아무튼 이제부터 탈의실을 따로 쓰게 될 테니까 그렇게들 알고. 괜히 여경들에게 눈치 주지 말고."

"아니, 왜 그런 귀찮은 짓을 하는지 모르겠네."

"예산이 넘치니까 뭐라도 하려나 보지."

"어휴. 이렇다 커피 심부름도 못 시키는 거 아냐?"

"커피는 네 손으로 타 먹어, 새꺄. 넌 손이 없냐, 발이 없냐?"

경찰들은 어쩔 수 없다는 듯 고개를 끄덕였고, 오택수는 종혁을 보며 눈을 가늘게 떴다.

그렇게 시간이 흘러 10시.

어두운 밤, 곧 여름임에도 제법 쌀쌀한 찬바람을 맞으

며 종혁이 캔커피를 홀짝인다.

"삑! 삐익!"

공간을 두고 세워진 라바콘들과 흔들리는 경광봉.

그 앞에서 속도를 늦추는 차량들.

헤드라이트 불빛에 연두색 조끼가 반짝인다.

빵빵! 빵빵!

병목 현상이 일어난 4차선 도로에 경적 소리가 울린다.

'음주 단속도 오랜만이네.'

언제 마지막으로 했는지 가물가물하다.

"언젠 곱게 자라서 아무거나 못 먹는다며?"

다가온 오택수가 눈을 가늘게 뜬다.

"이거 러시아에도 수출되는 겁니다."

"……아, 그래서 먹는다? 또라이냐?"

"드실래요?"

종혁은 주머니에서 캔커피를 꺼냈고, 오택수는 순순히 받았다.

"초콜렛 같은 거 있음 줘 봐. 아오, 스트레스 쌓여."

오늘도 사고를 예쁘게 친 최재수.

그냥 사고를 하나씩 칠 때마다 매뉴얼을 외우는 것 같다.

키득 웃은 종혁은 다른 주머니에서 초코바를 꺼내 줬다.

"수석 네 조끼는 또라에몽 주머니냐? 이게 빠져 가지고."

"아, 조카가 7살이랬죠?"

"너한텐 조카 아냐."

매정하게 선을 그은 오택수는 초코바를 우물거리며 열

심히 경광봉을 흔드는 최재수를 봤다.

'저걸 언제 사람으로 만드냐'라는 듯한 눈빛.

'욕보십쇼.'

종혁도 최재수를 가르칠 자신이 없었다.

"너지?"

"뭐가요?"

"탈의실. 지금 청장님이 경찰대 학장이셨잖아."

"무슨 말인지 모르겠는데요."

오택수는 미간을 좁혔고, 종혁은 무시하며 커피를 홀짝였다.

"쯧. 그래, 맘대로 해라. 네가 뭐 나쁜 짓 하는 것도 아니고."

"그럼 전 일하러 가겠습니다. 이건 대신 버려 주시고."

"이 자식이?"

빈 캔을 오택수의 손에 쥐여 준 종혁은 한승연에게 다가갔다.

차를 나온 취객에게 윗가슴이 찔리며 뒤로 밀리는 한승연.

주위 경찰과 지원 나온 의경들이 안절부절못한다.

"치워. 너 내가 누군지 알아?"

"이러시면 안 되십니다, 선생님."

"내가 인마, 어? 어제도 너희 청장이랑……."

툭툭.

꼬부라진 혀와 눈으로 한껏 짜증을 부리다 돌아선 음주운전자는 종혁의 큰 덩치를 보고도 겁먹기는커녕 얼굴을 구겼다.

"넌 또 뭐야. 이 새끼……."

덥썩! 부웅! 퍼억!

"끄헉?!"

경찰들도, 차 안에 있던 사람들도 기겁하며 바라본다.

눕힌 상태에서 팔을 꺾어 뒤로 돌린 종혁은 그 손에 수갑을 채웠다.

"지금부터 선생님을 음주측정 불응, 공무집행 방해, 경관 폭행으로 현장 체포합니다."

정말 진짜로 하고 싶었던 말.

이젠 이 말도 법적효력을 가지는 진짜 경찰이었다.

감회가 새로웠다.

"놔, 씨. 안 놔…… 악! 자, 잠깐 허리! 허리-!"

종혁은 더 강하게, 취객의 허리를 누르는 무릎에 더 체중을 실으며 나머지 절차를 밟았다.

텅텅!

"자, 출발."

음주 운전자를 태운 경찰차가 파출소로 복귀하자 종혁은 한승연을 봤다.

그의 눈은 꽤 매서웠다.

"뭘 잘못했는지 알죠?"

"……예. 음주 운전자가 도로에서 밀쳤을 땐 강력하게 제압했어야 합니다."

언제 차가 빠르게 지날지 모르는 도로 위다. 이럴 땐

곧바로 제압해야 하는 게 매뉴얼이다.

"그래요. 다음부턴 그렇게 합시다."

종혁은 수고했다며 한승연의 어깨를 두드렸다.

윗가슴을 찔리며 밀쳐졌는데 뺨을 때리지 않은 게 어딘가. 정말 잘 참은 거다.

그 순간.

끼긱!

"어? 어어?"

고개를 돌린 종혁은 눈을 크게 떴다.

"마, 막아!"

부아아아앙!

갑자기 속도를 내며 달려드는 승용차.

종혁은 다급히 한승연을 끌어당기며 뒤로 뛰었고, 차는 그들이 있던 자리를 스쳐 지나갔다.

종혁은 다급히 오택수를 봤다.

"재수야!"

하얗게 질린 얼굴로 최재수를 부르며 다급히 경찰차에 오르는 그.

그럴 수밖에 없다.

"으아아아악!"

종혁은 다른 차를 향해 뛰며 어깨에 달린 무전기를 들었다.

"순 31! 음주측정 불응 후 경관을 매달고 도주 사건 발생! 흰색 승용차! 번호는……!"

한밤에 추격전이 시작됐다.

* * *

부우웅!

음주 운전자를 태운 순찰차가 떠나고 한승연에게 말을 거는 종혁을 본 최재수는 입술을 이죽거렸다.

첫날부터 괴물 같은 면모를 보인 종혁.

며칠 지나지 않은 지금엔 모두에게 인정을 받고 있다.

오택수도 일하는 걸 보더니 3일 만에 임시 사수에서 물러났다.

하지만 정작 배알이 꼴리는 건 간식부터 시작해, 파출소를 조금씩 바꿔 가는 종혁의 행동에 모두가 뭘 해 주지 못해 안달 났다는 점이다.

'난 아직도 혼이 나는데! 쟤는 청소도 안 하는데!'

"아주 바보들이야. 돈으로 인심 사는 게 안 보이나?"

그런데 정말 화가 나는 건 종혁이 자신을 무시한다는 점이다. 마치 없는 사람처럼.

그런데 그의 동기들에겐 그렇게 다정할 수 없다.

'아주 나만 미워하지! 나만 미워해!'

"그래, 나도 당신 따위 필요 없어. 누가 당신한테 인정받으려고 경찰 하는 줄 알아?"

최재수는 신경질적으로 경광등을 흔들었다.

그러다.

"음?"

다가오던 흰색 외제 승용차가 갑자기 멈칫한다.

뭔가 이상함을 느낀 최재수는 매뉴얼에 따라 의경과 함께 그 차로 다가갔다.

똑똑!

운전석 창문을 두드리는 의경.

그러나 운전대를 꽉 잡은 운전자는 창문을 내리지 않는다.

'뭐지?'

최재수는 열려 있는 보조석 창문을 통해 고개를 들이밀었다.

"선생님…… 흡?!'

차 안에 술 냄새가 가득하다.

음주 운전이다.

"선생님, 술을 드신 것 같으시네요. 일단 내리셔서……."

"씨발!"

부아앙! 끼긱!

치고 나가려 했지만, 앞 차 때문에 브레이크를 밟는 운전자.

"어?"

뒤늦게 무슨 생각이 들었는지 모른다.

아니, 거의 반사적이었다. 최재수는 보조석 안으로 몸을 집어넣었다.

"선생님! 얼른 내리세……!"

운전대가 틀리더니 중앙선을 넘어 치고 나가는 승용차.

눈을 부릅뜬 최재수는 보조석 시트를 잡았다.

그리고.

부아아앙!

"으아아악!"

경찰을 매단 한밤의 추격전이 시작되었다.

* * *

삐이이잉!

―4885 갓길에 정차하세요! 4885!

"세워요! 세우라고!"

'씨발! 씨발!'

어느덧 술이 다 깨 버린 음주 운전자는 이를 악물었다.

벌써 투 아웃이다.

"한 번만 더 사고를 쳤다간 모든 지원을 끊어 버리겠다."

한 번 한다면 무조건 하고 마는 아버지의 경고.

'씨발! 그냥 대리 부를걸!'

이놈의 습관이 문제였다.

"주말이 아니니 괜찮아. 내 운전 실력 못 믿어?"

걱정하는 친구들에게 호기롭게 말했던 주둥이를 쳐버

리고 싶다.

"절대 걸릴 수 없어! 절대!"

–재수야, 꽉 잡아! 꽉 잡으라고, 인마!

"예–! 으흡!"

이를 악문 최재수가 시트를 잡은 손에 힘을 꽉 주며 몸을 더 안으로 집어넣었다.

그러며 운전대를 향해 손을 뻗었다.

'내가 해야 돼. 여기서 멈춰 세워야 해!'

곧 큰길이다.

이 속도, 이 상황이라면 무조건 인명 사고가 난다.

최재수는 정말 사력을 다해 손을 뻗었다.

그리고 그걸 본 음주 운전자는 하얗게 질렸다.

"씨발! 제발 꺼져, 좀–!"

그는 사거리가 나타나자 다급히 핸들을 꺾었다.

끼기기기긱!

커다란 곡선을 그리며 좌회전하는 차.

"아아악!"

빵빵!

–야, 이 새끼야!

아무것도 들리지 않는 음주 운전자의 눈에 맞은편에서 커져 가는 헤드라이트 불빛이 보인다.

너무 꺾다 보니 중앙선을 침범한 것 같다.

"미친!"

순간 섬뜩해진 그는 얼른 핸들을 반대쪽으로 꺾었다.

하지만 늦었다.

꽈앙!

"컥!"

"아악!"

차가 아니라 몸이 옆으로 튕겨져 나가는 것 같다.

뭔가 거대한 게 짓누르고 부수는 것 같은 느낌.

마치 청룡열차에 탄 듯 앞이 흔들린다.

그와 동시에 온몸의 피가 싸늘하게 식는다.

'좆됐다.'

음주운전인 상태에서 측정을 거부하고 도주한 것도 모자라 사고를 냈다.

정말 끝인 거다.

하지만 그는 이를 악물며 다시 액셀을 밟았다.

'도망만 치면 돼. 도망만!'

부아아아앙!

"아아악! 세워! 세우라고-!"

흠칫!

옆을 본 음주 운전자는 기겁했다.

"이, 이 거머리 같은 새끼! 제발 꺼져 좀-!"

"좆까!"

밖으로 튕겨져 나갈 뻔했던 최재수는 다시 몸을 안으로 욱여넣었다.

"이 씨발 새끼야!"

정신없는 와중에 저러니 정말 더 돌아 버릴 것 같다.

그러다 저 멀리 다시 보이는 사거리.

'어디야! 어디로 틀어야 해?!'

어디로 가야 도망칠 수 있을까.

그는 빠르게 머리를 굴렸다.

하지만 의미 없는 행동이었다.

삐요요요용! 끼기기기긱!

사거리 양측에서 지원을 나온 두 대의 경찰차가 달려오다 차를 가로로 돌리며 멈춰 선다.

"씨발!"

음주 운전자도 반사적으로 브레이크를 밟는다.

끼이이이익!

"컥?! 으아아아악!"

-최재수-!

그리고 뒤에서 달려오는 두 대의 경찰차.

사면초가다.

방금 전까지 자신을 괴롭혔던 경찰이 튕겨져 나가서 기분은 좋지만, 앞으로 벌어질 상황을 떠올리니 눈앞이 아찔해진다.

'이렇게 된 이상!'

이를 악문 그는 경찰차와 경찰차 사이를 보며 액셀을 강하게 밟았다.

부아아앙!

그 순간.

콰아앙!

"커허헉?!"

강력한 충격과 함께 차가 돌아가는 걸 느끼며 그는 잠시 정신을 잃었다.

* * *

음주 운전자가 경관을 매단 채 도주했다.

무전을 들은 모든 경찰들이 뒤집어졌다.

종혁이 탄 경찰차 분위기도 말이 아니다.

"재수야! 최재수, 이 자식아!"

운전석에 앉은 오십대 후반 경위가 안전부절못하다 재빨리 무전기를 든다.

"최재수! 절대 놓지 마! 인마! 정신 차려-!"

긴박한 추격전이 펼쳐지는 도로 위를 꿰뚫는 외침.

종혁도 이를 간다.

눈치 없고 짜증만 불러일으키는 최재수라 할지라도 이 순간만은 분노가 솟는다.

감히 경찰을 매달고 도주하는 저놈을 찢어 죽이고 싶다.

끼기기기긱!

"재수야!"

사거리에서 크게 좌회전을 할 때, 종혁의 심장도 크게 철렁였다.

튕겨져 나가는 순간 대형 사고다.

뼈 한두 개 부러지는 걸로 끝나지 않을 속도.

꽈앙!

소리는 앞에서 났지만, 종혁의 몸이 크게 흔들렸다.

끔찍한 상황이 그의 머릿속에 그려진다.

……부아아앙!

자신이 탄 경찰차도 좌회전을 할 때 종혁은 인도 쪽을 살폈다.

그리고 재빨리 놈의 차를 봤다.

아까보다 몸이 조금 더 바깥으로 삐져나왔지만, 여전히 매달려 있는 최재수.

"후우우."

안도의 한숨이 튀어나왔지만, 곧 짜증도 솟는다.

"저 바보 같은 놈! 손을 놔야 우리가 뭐든 하지!"

동감이다.

하지만…….

'근성은 있네.'

저 정도 근성이라면 조금 더 버텨 줄 것 같다.

종혁은 차량 무전기를 들었다.

"도주 차량, 농협 사거리에서 대현아파트 사거리로 도주 중."

-순마 23. 대현아파트 사거리에서 진입 중.

-순마 27. 순마 23 보인다. 함께 진입하겠다.

다행이었다. 몇 초만 지나면 포위망이 완성될 것 같다.

그때였다.

안심하던 종혁은 저 멀리 보이는 뭔가에 미간을 좁혔다.

'인파?'

사거리 너머 똑같은 옷차림을 한 사람들이 한곳으로 향한다.

오싹!

"박 경위님! 앞에 시민들!"

"미쳐 버리겠네!"

경위가 다급히 무전기를 낚아챘다.

"순마 23! 순마 27! 너희 뒤에 시민들 있어!"

―……씨발!

사거리 양쪽에서 이쪽을 향해 진입하던 경찰차 두 대가 재빨리 차를 돌려 세운다.

여기서 놓치는 순간 초대형 인명 사고가 터진다.

모두는 곧 충돌할 상황을 그리며 눈을 질끈 감았다.

끼이이이익!

으아아악!

"헉?! 최재수!"

경찰차가 차를 돌려세우는 순간 브레이크를 밟는 도주 차량.

최재수가 오른쪽으로 튕겨져 나가는 모습이 느리게 시야에 들어왔다.

종혁은 이를 악물며 간절히 바랐다.

"낙법! 낙법해, 이 새끼야! …… 어?"

뭔가 이상하다.

차량의 후미등이 깜빡이고, 느려진 시간 속 타이어가

느릿하게 돌아간다.

종혁은 다급히 입을 열었다.

"박아요! 차 출발합니다!"

"뭐어어? 아니이이……."

순간 경위의 머릿속에 순찰차 파손 시 내야 될 개인부담금이 떠오른다. 그걸 눈치챈 종혁은 다급히 입을 열었다.

"내가 책임질 테니까 얼른-!"

그 순간 경위의 귀에도 차가 출발하는 소리가 들렸다.

"제길! 안전벨트 꽉 잡아!"

경위는 도주 차량의 뒤꽁무니 대각선 끝을 들이박았다.

꽈아앙!

순간 눈앞이 점멸한다.

"아으윽!"

경위의 신음 소리에 정신을 차린 종혁은 차문을 열고 내렸다.

그제야 주위 소음이 귀에 들어오고, 도로 위에 누워 꿈틀거리는 최재수와 그에게 달려가는 오택수 경위가 눈에 들어온다.

튕겨져 나가며 머리부터 떨어졌는지 피가 흐르는 최재수.

"까드득!"

종혁은 그 모든 걸 외면하며 도주 차량으로 걸어갔다.

당장이라도 달려가고 싶은데 꾹 참으며 천천히 다가섰다.

뚜벅뚜벅!

쿵쿵!

"나오세요, 선생님."

"어으으…… 뭐야……."

"나오시라고요."

"……꺼져! 퉤!"

종혁의 얼굴이 도깨비처럼 구겨졌다.

안 그래도 울고 싶은데 뺨을 때리고 있다.

고마웠다.

"그래요. 그럼 거기 계세요. 그럼 지금부터 적법한 경찰 매뉴얼에 따라 거기 안전하게 계시다가 제 차로 가시겠습니다. 얼굴 막으세요. 다칩니다."

스윽!

한 발을 뒤로 뺀 종혁은 그대로 허리를 돌리며 운전석 창문을 향해 주먹을 내질렀다.

꽈아아앙!

지켜보던 사람들의 눈이 부릅떠졌다.

* * *

통제가 된 도로 위.

삐용 삐용.

경찰차들 사이에 119 앰뷸런스가 서 있다.

"씨발. 너 내가 가만 안 둘 거야! 악! 아프다고!"

"닥치세요, 씨발. 조 경사가 이분 따라가."

일단 병원으로 향하는 음주 운전자.

"하, 씨. 진짜 어쩌지? 종혁아 반띵은 해 줄 거지? 응?"

범퍼뿐만 아니라 보닛도 어느 정도 잡아먹어서 울상이 된 경위.

"야, 이 미친 새끼야! 그걸 왜 계속 붙잡고 있어-! 네가 철인 28호냐, 이 새끼야-!"

"헤헤. 그래도 제 덕분에 잡았죠?"

화를 내는 오택수 경위와 피투성이가 된 얼굴로 환하게 웃는 최재수. 그리고 주위에 몰려 있다 흩어지는 인파, 아니 학생들.

"아니, 이 병신 새끼가……."

오택수 뒤에 다가간 종혁은 그의 어깨를 두드렸다.

종혁은 울상인 오택수를 향해 고개를 끄덕였다.

"아오-!"

오택수가 멀어지자 최재수의 표정이 급변한다.

"왜요? 또 내가 잘못했다 하시게?"

종혁은 또 반항적인 최재수를 빤히 봤다.

분명 위험천만한 행동이었다. 자칫 죽을 수도 있는 상황이었고, 다른 차 위에 떨어졌으면 2차 사고로 이어질 뻔했다.

정말 미련하고 바보 같은 행동이었다.

하지만…….

"수고했어요. 근성 있던데요?"

제 몸을 아끼지 않고 달려든 경찰에게 이 말밖에는 할 수 없었다.

툭툭!

어깨를 친 종혁은 돌아섰다.

그러다.

'음? 염상철?'

이제야 흩어지는 학생들 사이에 염상철이 있다.

왜인지 학생들 무리에서 살짝 떨어져 있는 그.

시선이 마주친 염상철은 화들짝 놀라더니 사라졌다.

'흠. 잰 친구가 없나?'

종혁은 혼자서 걸어가는 염상철을 응시하다 현장을 정리하기 위해 몸을 돌렸고, 그런 종혁을 멍하니 바라보던 최재수는 꿈틀거리는 입술을 감추고자 고개를 돌리며 콧방귀를 꼈다.

"흐흥. 그렇게 말하면 내가 좋아할 줄 아나."

'그래도 잡았다.'

가슴이 뻐근해질 만큼 뿌듯했다.

그렇게 한밤의 추격전을 끝을 맺었다.

하지만…… 완전히 끝난 건 아니었다.

"꿇어! 무릎 꿇고 사과해, 이 자식아!"

* * *

"결국 청장님과 뭘 다 했다는 그 선생님은……."

"아무 관계도 아니었죠. 상습범이시랍니다."

"아주 지랄 염병 났다. 청장님이 동네북도 아니고."

민원인이 한 명도 없지만 왠지 어수선한 파출소. 같은 식구가 죽을 뻔했던지라 일에 집중하기가 힘들다.

벌컥!

때마침 병원에 갔던 오택수가 거칠게 문을 열며 들어온다.

"아오! 씨발. 그 개새끼!"

"택수야, 재수는? 괜찮아?"

"몰라요, 씨발!"

쾅!

의자를 걷어찬 오택수는 2층으로 올라갔고, 장철호 소장은 급격히 싸늘해진 분위기에 혀를 찼다.

"저 새끼 저거……. 야, 이 새끼야! 내가 네 친구냐!"

"참아요. 재수 죽을 뻔했잖아요."

"……하여튼 저거, 저거 저 성질머리는 언제 고칠까."

혀를 차던 장철호 소장은 뒤이어 들어오는 종혁을 보며 한숨을 내쉬었다.

"야, 인마! 넌 새끼가 좋은 목봉 놔두고 왜 맨손으로 창문을 부숴! 그것도 운전석을! 과잉 진압으로 징계받고 싶냐!"

종혁은 싱긋 웃었다.

"에이, 겨우 그걸로 징계받겠습니까?"

안 받는다.

미래면 몰라도 공권력이 살아 넘치는 지금은 안 받는다.

"그래도 이 새끼가!"

"죄송합니다! 그리고 제 손도 무사합니다! 충-성!"

"아오오! 오랜만에 똘똘한 놈이 들어와서 좋다 싶었더니만, 똘똘한 게 아니라 또라이가 들어왔어!"

결국 혈압을 참지 못한 장철호 소장은 옆 책상을 쾅 차며 안으로 향했고, 공업사에 박살 난 경찰차를 맡기고 돌아온 경위가 종혁에게 슬그머니 다가섰다.

"아까 잘했어."

다른 이들은 모두 재수에게 달려갔지만, 종혁 혼자 도주자를 제압했다. 그제야 아차 했던 그다.

종혁은 혹시 모를 2차 사고를 막은 거다.

그것도 이제 발령받은 지 겨우 일주일도 안 된 경찰이.

종혁에 대한 믿음이 치솟는 순간이었다.

"하하. 뭘요. 당연한 거죠."

흐뭇이 고개를 끄덕이던 경위는 이내 갑자기 우물쭈물했다.

"그…… 반띵은 아니라도 30퍼센트는 내줄 거지?"

"아, 걱정 마세요. 제가 다 처리할게요."

경위의 얼굴이 활짝 핀다.

"됐어. 그럼 반띵만 해. 휴, 진짜 돈 들어갈 구멍만 없으면 내가 다 내는 건데……."

신경 안 쓴다며 오히려 함께 부담해 줘서 고맙다며 다독인 종혁은 얼어붙어 있는 한승연과 다른 시보에게 다가갔다.

얼어붙은 파출소 분위기에 동기가 차에 매달려 가는 걸 봤기에 겁을 먹은 듯 종이컵을 잡은 손이 바들바들 떨리는 둘.

"올라가서 잠시 쉬다 와요."

"예? 하, 하지만……."

"그런 정신으로 일할 수 있겠어요? 괜히 실수해서 평가 점수 깎이지 말고 올라갔다 와요."

매정한 말에 서운함에 물들던 둘이 평가 점수란 말에 정신을 차린다. 둘은 슬금슬금 눈치를 봤다.

"내가 책임질 테니까 쉬다 오라고."

"죄, 죄송합니다."

꾸벅 인사를 한 둘이 올라가자 종혁은 한숨을 쉬었다.

"경찰이 다쳤으니 사건도 기다려 주면 얼마나 좋을까."

정말 그래 주길 바라지만 그럴 일은 절대 없다.

그래서 올려 보낸 거다. 달래 줄 시간이 없을 테니까.

종혁의 읊조림을 들은 경찰들은 씁쓸히 웃었다.

"에이, 씨부랄."

종혁은 주머니를 뒤지며 밖으로 향했다.

그때였다.

부우웅! 끼익!

웬 고급 세단이 파출소 앞에 멈춰 서더니 운전석에서 오십대 장년인이 성큼성큼 걸어와 보조석의 문을 연다.

그러더니 보조석에 앉아 있던 환자복을 입은 청년의 뒷

목을 잡고 끌어 내린다.

'어? 저 자식은?'

방금 전 도주를 했던 그놈이다.

오십대 장년인과 그놈이 이쪽을 향해 걸어온다.

'느낌이 쎄한데.'

하지만 종혁은 일단 옆으로 비켜서며 문을 열어 줬고, 고맙다 고개를 숙인 장년인은 안쪽 문을 열고 들어가더니 냅다 도주자의 무릎 뒤 오금을 후려쳤다.

"악!"

"꿇어! 무릎 꿇고 사과해, 이 자식아! 아니, 사과드려!"

"……우와?"

종혁은 꺼냈던 담배를 다시 집어넣으며 안으로 들어갔다.

파출소에선 보기 드문 분이 찾아오셨다.

* * *

"숙여! 고개를 더 숙이라고, 이 망나니 자식아!"

대체 얼마나 화가 난 건지 놈의 뒷목을 잡아 바닥에 처박는다.

쿠웅!

"악!"

"악? 아-악? 이 자식이 뭘 잘했다고!"

"죄, 죄송합니다! 제가 정말 자, 잘못했습니다!"

"아이고, 아버님!"

일련의 사태에 멍해 있다가 뿜은 경찰들이 빠르게 다가와 말린다. 시끄러워서 나온 장철호도 이게 뭔 일이래 눈을 껌뻑인다.

"여기서 이러시면 안 됩니다, 아버님!"

"진정, 진정 좀 하시고."

경찰들이 떼어 내려 들자 먼저 뒤로 물러난 장년인이 허리를 깊이 숙였다.

"죄송합니다! 제가 자식을 잘못 키워 목숨 걸고 일하시는 여러분께 많은 폐를 끼쳤습니다!"

"……."

목숨을 걸고 일한다.

그 말에 울컥한 경찰들은 볼을 긁적였다.

종혁은 그의 등을 두드렸다.

"괜찮습니다. 큰 사고로 번지지 않았는걸요."

"너?!"

낯익은 목소리에 고개를 들었던 놈이 눈을 부릅뜨자 장년인은 그의 얼굴을 차 버렸다.

"이 새끼가 어디서……!"

빠악!

"아악!"

장년인은 그것도 모자라 쓰러진 그를 질근질근 밟았다.

"악! 아악!"

"이러시면 안 됩니다, 아버님. 어이구, 안 된다니까요."

속이 후련해진 종혁은 말리는 시늉만 했다.

"후우. 혹시 차문을 부수고 이놈을 꺼내신 분입니까?"

종혁은 눈을 가늘게 떴다.

먼저 사과를 하면서 강하게 나가기 힘든 분위기를 조성한 후 수작을 부리는 이들이 종종 있기 때문이다.

끌고 온 고급 세단을 보면 평범한 사람이 아닐 터.

더욱이 경찰이 지키고 있을 병원에서 놈을 빼 왔다. 보통 사람이 아닌 것은 확실했다.

"예, 맞습니다. 제가 그랬습니다."

종혁은 어떤 수작을 부리든 맞받아쳐 주겠다며 쏘아붙이듯 말했다.

그러나 돌아온 대답은 정말 예상치 못한 것이었다.

"끙. 그냥 대가리를 날려 버리지."

"네?"

"아닙니다. 그래도 아들놈을 다치지 않게 제압해 주셔서 감사합니다. 일어나, 이 자식아!"

놈의 뒷목을 잡아 일으켜 민원 테이블 앞 의자에 앉혔다.

"이놈 조서를 써 주십시오."

"괜찮으시겠습니까? 이분께선 현재 안정을……."

"죽든 말든 괜찮으니까 해 주십시오! 이딴 놈도 자식이라고…… 자식이라고…… 후우. 부탁드리겠습니다."

배신감이 가득한 그의 눈에 종혁은 고개를 끄덕일 수밖에 없었다.

놈의 맞은편에 앉은 종혁은 오른손에 깁스와 머리에 붕대를 감은 채 벌벌 떨고 있는 놈을 보며 고소해했다.

“음주 운전에다가 음주측정 불응 후 도주, 경관을 매달고 도주하시며 많은 걸 부수신 건 아시죠? 그럼 시작합니다. 이름.”

“백수현이요.”

호랑이 아버지가 옆에 있어서 그런지 백수현은 순순히 말했다.

그에 경찰들은 어이없어했다.

25살, 법대생. 군대를 일찍 다녀와 이제 겨우 2학년이다.

판검사가 되려는 놈이 음주 운전도 모자라 그런 사고를 친 거다.

“야, 백수현.”

“네? 네, 아버지.”

“너 운전대 잡을 때 무슨 생각했어?”

“네?”

백수현은 어리둥절해했지만 종혁은 놀랐다.

“사고 날 줄 알았어? 몰랐어? 아니면 사고가 나도 크게 별일 있겠어, 라고 생각했어?”

“어어, 그게…….”

“똑바로 말해. 그래야 선처라도 받을 수 있어.”

장년인의 눈빛이 살벌해지자 백수현은 어깨를 움츠렸다.

"그게 크게 별일이……."

경찰서 이곳저곳에서 탄성이 터졌다.

그건 종혁도 마찬가지였다.

'이런 분도 계시는구나.'

취객, 음주운전, 성추행 가해자, 폭행 등 수많은 사람들이 와서 목소리를 높이는 파출소에서 보기 드문 인격자이자 참된 아버지다.

경찰로서 너무 감사하지만, 우려가 들 수밖에 없다.

이대로면 실형을 피할 수 없다. 백수현이 본인의 입으로 고의성이 있다고 진술했으니까.

이대로라면 아버지가 아들을 교도소에 보내려는 것은 물론이거니와 법대생인 아들의 앞길까지 막게 된다.

'음.'

하지만 종혁은 말없이 진술을 받아 적었다.

다행히 인명 피해는 발생하지 않았다고는 하지만, 그가 저지른 일은 무척이나 죄질이 무거웠다.

마땅한 처벌을 받겠다고 나서는데 만류할 이유는 없었다.

그렇게 모든 진술이 끝나자 장년인은 백수현의 뒷목을 잡고 일으켰다.

다시 병원에 데려다 놓으려는 거다.

종혁은 그런 그를 멈춰 세웠다.

"잠시만요, 선생님."

종혁의 눈을 본 장년인은 백수현을 밀었다.

"먼저 차에 가 있어."

백수현이 나가자 종혁이 입을 열었다.

경찰들도 귀를 기울인다.

"선생님, 지금 선생님께선……."

"걱정하지 마십시오. 저지른 죗값을 받는 것뿐이니."

적극 협조해 줬기에 꺼냈던 우려의 말이 끊긴 종혁은 눈을 가늘게 떴다.

"……역시 알고 하셨군요."

아버지라면 아무리 화가 났다 하여도 자식의 일이기에 본능적으로라도 축소시키려 들 텐데 전혀 그러지 않았다. 오히려 백수현에게 불리한 진술을 계속 유도했다.

'정말 혹시나 싶어 말을 꺼낸 건데…….'

아니었다.

그래서 더 이해가 안 갔다.

아들이 느낄 그 배신감.

"미움을 받으실 수 있습니다, 선생님."

의절을 할 수도 있다.

종혁의 이런 걱정에 눈을 빛낸 장년인이 푸근히 웃었다.

"젊은 분께서 생각이 깊으시군요. 하지만 괜찮습니다. 저도 아비 된 입장으로서 싸울 테니까요. 하지만 그러려면 완벽히 팩트만 놓고 싸워야 하지 않을까요?"

종혁은 미간을 좁혔다.

그래 주면 정말 좋고 고맙긴 한데, 이런 말을 한다는 것 자체부터 범상치가 않다.

왜인지 잘 아는 냄새가 풍긴다.

"혹시 하시는 일이?"

장년인의 미소는 더욱 깊어졌다.

"인사가 늦었군요."

"……고법?"

"처음 뵙겠습니다. 서울고등법원 부장판사 백순재입니다."

'미친?!'

종혁은 멍하니 그를 쳐다봤다.

4장. 장난으로 던진 돌에 개구리는 죽는다

장난으로 던진 돌에 개구리는 죽는다

백순재와 백수현이 돌아간 파출소.

종혁과 경찰들의 넋이 나가 있다.

"야, 넌 고법 부장판사 본 적 있냐?"

장철호 소장이 파출소 경력만 20년인 경찰을 보며 묻는다.

"여기서요? 에이, 형님은요?"

"나도 못 봤지. 저런 살벌한 분을 어떻게 봐."

"남대문서에 있었는데?"

"저런 분은 강남서나 가야 봐."

이렇게 그냥 고등법원 부장판사여도 정신이 없는데, 그 부장판사가 자기 아들을 살살 꼬드겨 모든 진실을 토해내게 만들었다.

여태껏 어떻게든 죄를 축소시키거나 은폐시키려던 사

람은 많았어도, 죄를 모두 실토하게 만든 사람은 처음이었다.

그러면서 좋은 싸움 하자며 선전 포고도 했다.

"단체로 꿈을 꿨나?"

쉽지 않았을 결정이라 더 그렇게 느껴진다.

고등법원 부장판사쯤 되려면 저래야 되나 싶을 정도다.

"CCTV 확인해 볼까요? 저거 음성도 녹음되잖아요."

"어, 그래 봐."

종혁은 거리에 CCTV를 깔면서 경찰 내 CCTV도 모두 교체했다. 경찰이건 피해자건 억울한 일을 당하지 않도록 녹음까지 되는 걸로 말이다.

딸랑!

"신문이요!"

"어. 가져와, 가져와."

어느덧 벌써 6시.

길었던 하루도 모두 지나간 것 같았다.

그 순간이었다.

딸랑!

"충성! 시보 최재수! 병원에서 막 복귀했습니다! 늦어서 죄송합니다."

"재수야!"

"왜 이렇게 빨리 퇴원했어? 몸은 괜찮아?"

재수를 걱정하는 경찰들과 그런 그들의 관심에 헤벌쭉 웃으며 손을 젓는 최재수.

오택수도 쭈뼛거리며 다가간다.

종혁은 아까 피려고 했던 담배를 다시 물었다.

"푸. 정말 끝났네."

참 길었던 하루였다.

* * *

부우웅.

새벽 도로를 달리는 차 안.

숨 막히는 침묵이 내려 앉아 있다.

신호에 멈춰 서자 백순재가 담배를 물었다.

찰칵! 치이익!

"백수현."

차창을 보던 백수현의 몸이 움츠러든다.

"왜, 왜요. 다, 다 말했잖아요. 아버지 의도대로……."

울컥!

말을 하다 보니 속이 뒤집힌다.

언제나 엄했던 아버지.

하나뿐인 아들에게 따뜻한 말 한마디조차 해 주지 않은 채 언제나 법관으로서의 엄한 잣대만 들이밀었던 아버지.

백점을 받아도.

전교에서 1등을 해도.

칭찬보단 앞으로 더 노력하라던 아버지.

그런 아버지가 이젠 아들을 교도소에 보내려 든다.

"아버지 의도대로 다 됐잖아요! 이제 속 시원하세요? 부족하고 못난 주제에 감히 법관을 욕심내던 아들을 끝내 이렇게 만드시니까 시원하냐고요!"

법대에 합격했지만 기뻐하기보다 어이없어하던 아버지.

너 같은 놈이 무슨 판사고 검사냐 말하던 아버지.

잘못했다. 분명 잘못한 건 맞다.

하지만…….

"정말 내 아버지 맞아요? 세상 어떤 아버지가 자식한테 이러는데!"

"백수현."

"좀! 조옴! 그렇게 내가 싫으면 옛날에 의절하지 왜……."

"무서웠지?"

생전 처음 듣는 한 마디 말에 백수현의 입이 굳는다.

"그걸 말이라고……!"

아버지가 밉다. 정말 밉다.

그런데 왜일까.

너무도 화가 나는데 눈물이 흐른다.

따뜻한 한 마디에, 미안함으로 가득한 눈빛에 상처로 가득한 가슴이 흔들린다.

왜.

왜…….

'그렇게 보는데!'

"아빠가 그동안 미안했다."

"왜 이제 와 그딴 말을 하는데! 진짜-!"

백수현은 듣기 싫다는 듯 차문을 치며 발버둥 쳤다.

"씨익! 씩!"

"……."

"이제…… 나 어떻게 되는 거예요?"

"못해도 7년은 나오겠지."

음주운전도 모자라 경관을 매달고 달렸다.

공무집행방해뿐만 아니라 자칫 살인미수까지 적용될 수 있는 엄중한 사안이다. 사고가 날 위험성을 인식했으면서도 운전대를 잡았으니 심신 미약도 적용되기 힘들다.

덜컥 백수현의 얼굴이 하얗게 굳는다.

백순재는 그런 아들의 손을 꼭 잡았다.

"하지만 그렇게 만들진 않을 거다. 어떻게든 노력하고 싸워서 양형에 선처를 구할 거야."

"왜, 왜요? 아버지가 곧 대법에 올라가니까 한 점의 티끌도 있으면 안 돼서요?"

"네가 내 아들이니까."

이 또한 처음 듣는 말이다.

"……."

"일단 징역은 피할 수 없을 거다. 하지만 어떻게든 빨리 나올 수 있도록 이 아빠도 노력해 볼 거다. 그러니 너도 각오하고 있어."

"무, 무슨 각오요?"

"네가 저지른 죄에 대한 죗값을 받는다는 각오."

"……안 갈 수는 없어요?"

"안 갈 수 있지. 이 아빠가 고법 부장판사인데."

백수현이 고개를 번쩍 들었다.

"그런데 그러면 너 떳떳해질 수 있냐? 스스로에게 떳떳해질 수 있겠어?"

"……."

이를 악문 백수현은 고개를 돌렸다.

"씨발."

그 말은 너무 반칙이었다.

그런 백수현의 팔을 토닥인 백순재는 다시 차를 출발시켰고, 이윽고 병원에 도착했다.

"들어가. 쉬어."

"……."

우물쭈물하던 백수현은 이내 입을 다물며 돌아섰다.

답을 하기엔 감정의 골이 너무 깊었다.

로비에 들어온 그는 이를 악물었다. 술이 깨니 어제의 일이 다시 떠오른다.

세우라고 소리치던 경찰의 겁먹은 눈빛.

차창을 부수던 경찰의 사나운 눈빛.

아마 평생 잊을 수 없을 거다.

생에 처음으로 저지른 범죄.

잊을 수 있을 리가 없었다.

'정말 교도소라는 곳에 가겠구나.'

무섭고 두렵지만, 왜인지 마냥 절망스럽지만은 않다.

"진짜……."

"안녕하세요."

백수현은 갑자기 앞을 막는 사십대 중년인의 모습에 깜짝 놀랐다.

"누, 누구세요?"

"어제 도로에서 추격전을 벌이신 분 맞죠?"

능글맞게 웃는 그가 수첩을 꺼내 든다.

'기, 기자?'

파랗게 질리던 백수현은 이내 기자가 꺼낸 말에 낯빛을 굳혔다.

"어제 경찰의 과잉진압 때문에 꽤 험한 꼴을 당한 것 같은데 몸은 좀 어떠세요?"

"과잉…… 진압이요?"

백수현은 어리둥절해하며 기자를 봤다.

* * *

어제 오후, 백수현과 백순재가 다시 찾아왔다.

최재수에게 사과를 하기 위해서였다.

당연히 파출소엔 다시 폭풍이 휘몰아쳤었다.

"살다 보니 이런 일도 다 있네."

종혁은 하고 싶은 말을 대신해 준 오택수를 봤다.

교대 전 마지막 순찰을 나온 그들.

부웅. 빵빵.

출근길 차들의 경적 소리가 아침이 왔음을 알린다.

"고단수인가?"

"이쪽에서 알아서 탄원서 쓰게 만들겠다는 수법이요?"

"그건 또 왜 아냐?"

'많이 봤으니까요.'

정말 많이 있다.

정말 법을 잘 아는 사람들은 윽박을 지르기보단 사과하고 탄원서를 쓰게 만든다.

양형에 선처를 구하게끔.

그런 환경을 조성한다.

그러나 말할 수 없는 종혁은 어깨를 으쓱이는 걸로 답을 대신했다.

'하지만 아니야.'

정말 순수하게 사과만 하러 왔다. 합의에 대한 말을 꺼내는 건 아직이라는 듯.

정말 아버지로서 노력하고 있다는 생각이 들었다.

백수현도 굉장히 반성을 하고 있었다.

'보통 우발적으로 범죄를 저지른 이들이 대부분 그렇지.'

자신이 저지른 짓에 겁먹고 후회하고.

범죄를 저질렀으면서도 배를 내미는 놈들이 미친놈들인 거다.

문제는 그런 이들이 참 많다는 점이다. 종혁이 회귀 후 겪은 범죄자들처럼.

'지랄 맞게도.'

속으로 혀를 찬 종혁은 커피를 마셨다.

'그나저나 기자라…….'

어제 아침에야 경찰서로 인계된 사건임에도 그전에 기자가 접근했다고 한다.

엄청난 소동이었으니 오히려 모르는 게 이상했지만, 종혁은 왜인지 꺼림칙함을 느꼈다.

과잉 진압에 대해 물었다는 부분에서.

'이제 슬슬 기자들 풍조도 바뀌는 건가.'

생각이 많아질 수밖에 없었다.

"사람 참 삐딱하시네요. 정말 회개하고 있다는 생각은 안 하십니까?"

"허이구, 지랄. 회개하면 다 끝나냐?"

맞는 말이다. 반성하고 후회한다고 해도 저지른 죄가 사라진 게 아니다.

"하지만 여지는 줄 수 있죠. 진심으로 반성하니까."

오택수는 눈을 빛냈다.

'흠.'

"넌, 인마 네 이야긴데 왜 관심이 없어?"

"네?"

자판기 커피를 마시다 봉변을 당한 최재수가 어리둥절해하다 발끈했다.

"아니, 왜 또 시비신데요?"

"아오! 내가 진짜 너 때문에 늙는다, 늙어."

"난 뭐 괜찮은지 아나."

"뭐 이 새끼야?"

종혁은 오택수와 투덕거리는 최재수를 응시하다가 고개를 끄덕였다.

'다행이네.'

보통 그런 상황을 겪으면 PTSD도 함께 겪는다.

하지만 다행히 그런 경향은 없는 것 같다.

'정말 다행이야.'

마지막 커피를 마신 종혁은 건너편 주택가를 보며 눈을 빛냈다.

그가 굳이 이 파출소에 온 이유.

그게 저곳에 있다.

"혹시 192번지 주택에 대해 아세요?"

"192번지? ……아, 그 별이 두 개라던 장군집? 지금은 아들 혼자 살걸?"

"백수 아들 말하는 거죠?"

"그럴걸? 그런데 그건 왜?"

'그 새끼가…….'

순간 튀어나오려던 말을 꾹 누른 종혁은 고개를 저었다.

"아니요. 아버지가 육군 장성인데, 아들은 백수인 게 놀라워서요."

"그럴 수도 있지. 세상사람 어디 너 같은 놈만 있는 줄 아냐?"

"오? 지금 저 칭찬……."

"시끄러워, 이 새끼야. 야, 최 꼴통! 이것도 버리고 와!"

"아니, 내가 심부름꾼이야 뭐야?"

"저 새끼가……."

고개를 저은 종혁은 운전석에 올랐고, 종이컵을 버린 최재수도 경찰차로 다가왔다.

"빨리 와, 이 새끼야! 퇴근 안 할 거야?!"

"아, 간다고요! 가!"

그렇게 최재수도 차에 오르자 종혁은 미소를 지으며 차를 출발시켰다.

이제 복귀만 하면 퇴근이었다.

그 순간이었다.

치직!

무전이 시동을 걸자 셋의 얼굴이 슬그머니 구겨졌다.

하지만 그것도 잠시였다.

-청일고에서 자살 사건 발생. 남자 학생이 학교 옥상에 서 있다고 한다. 인근 순찰차 출동 바람.

'자살? 청일고? 설마……!'

왜일까. 한 명의 얼굴이 떠오르는 게.

눈을 부릅뜬 종혁이 오택수를 본다.

눈이 마주친 오택수도 같은 사람을 떠올렸는지 반사적으로 무전기를 잡았고, 종혁은 재빨리 차를 출발시켰다.

"순마 25. 접수 종발. 다시 말한다. 순마 25 접수 종발. 우리가 출동하겠다!"

웨에에에엥!

경찰차 사이렌 소리가 아침 8시 30분의 출근길을 꿰뚫었다.

*　*　*

"씨발! 거기 서! 잡히면 뒤져!"

"야, 오늘 끝나고 피방 어때?"

아침 8시 20분.

아침부터 활기찬 청일고의 교정에 발자국 소리가 울린다.

터벅터벅.

계단을 오르는 한 남학생에게 시선이 모인다.

작지도 크지도 않은 평범한 키.

평범한 외모와 움츠린 어깨.

"야. 재……."

"……신경 꺼. 우리도 당할라."

"킥킥. 저 븅신은 또 어디 가는 거야?"

좋지 않은 시선들이 닿았다가 떨어진다.

하지만 소년은 느끼지 못한 듯, 아니면 포기한 듯 계단만 오른다.

2층. 3층.

웅성거림은 점차 줄어가다 그의 걸음 소리만 남긴다.

어느덧 계단의 끝에 다다른 소년은 잿빛으로 물든 눈을 들어 앞을 가로막은 철문을 본다.

덜컹! 끼이이익!

소년, 염상철은 생각했다.

왜일까. 푸른 하늘보다 회색 시멘트 바닥이 먼저 눈에 들어오는 이유는.

"……상관없으려나."

맞다.

이제 그딴 건 상관없다.

상철은 옥상 끝을 향해 걸음을 옮겼다.

그리고 난간 끝을 잡고 발을 올렸다.

"읏챠."

옥상 난간에 오르다 보니 자연스럽게 푸른 하늘이 보인다.

구름 한 점 없이 푸르른 하늘.

지이익!

앞으로 돌린 가방에서 빨간색 새 담배가 보였다.

난생처음으로 하는 일탈.

그리고 생애 마지막 일탈.

난간에 걸터앉아 더듬더듬 담배를 뜯은 그는 입에 물고 라이터를 켰다.

"스읍! 켁! 쿨룩쿨룩! 케에엑!"

얼른 담배를 버린 염상철은 고통에 괴로워하다 겨우 몸

을 진정시켰다.

그는 눈물 가득 고인 눈으로 던져 버린 담배를 봤다.

"아빠는 세상에서 제일 맛있다고 했는데……."

거짓말이었던 것 같다.

울상을 지은 그는 아래를 봤다.

'아플까? 아프겠지? 아프긴 싫은데…….'

하지만 어쩔 수 없다.

이젠 이 방법 밖에 없다.

이 지옥에서 벗어나기 위해선.

그리고…….

"야, 인마! 뭐해! 얼른 내려와!"

저 아래서 하얗게 질린 얼굴로 소리치는 선생님.

그리고 웅성거리는 학생들.

발밑에서도 웅성거림이 느껴진다.

창문에서 고개를 내밀고 이쪽을 보며 놀라는 학생들.

"예, 예! 창문 닫아, 이놈들아! 상철아! 무슨 일인지 모르겠지만 내려와! 내려와서 이야기 하자, 이 자식아!"

상철은 웃음을 터트렸다.

"그러게 제 말을 들어 주지 그랬어요. 나 정말 힘들었는데 이제 와서……."

이래서 선생을 못 믿는 거다.

이를 악문 상철은 누군가를 발견하고 몸을 일으켰다.

이제 막 등교하는 듯 가방 멘 모습으로 모인 악마들.

"너희가 평생 아파하라고 이러는 거야. 나보다 더 아파하라고.”

이제 때가 된 것 같다.

상철은 몸을 일으켰다.

* * *

마침 근처에 있었기에 119보다 먼저 도착했다.

“절대 누구도 학교 밖으로 나오지 못하게 하세요!”

-하, 하지만…….

“개 떨어지면 당신이 책임질 거야-!”

순찰차를 터트려 버릴 듯한 고함.

-힉! 예, 예! 창문 닫아, 이놈들아!

“그리고 옥상에 그 누구도 접근시키지 마세요!”

‘바보 같은 놈! 대체 왜!’

전화를 끊은 종혁은 재빨리 후문으로 차를 몰았다.

“야, 왜 이쪽으로…….”

“우리가 간다고 광고할 겁니까?!”

“아……!”

오택수는 다급히 핸드폰을 들었다.

“난데! 청일고 오는 119 사이렌 켜지 말라고 해! 자극할 수 있으니까! 아, 씨발! 그냥 통보하라고!”

학교 근처에 접근하자마자 끈 사이렌.

빨리 도착하기 위해 사이렌을 켰었지만, 지금부터는 절대 피해자를 자극해선 안 된다.

후문을 통과해 학교 건물 앞에 차를 세운 종혁은 옥상 쪽을 바라보며 얼른 트렁크를 열었다.

역시나 로프가 있었다.

혹시 모를 상황을 대비해 무조건 구비해 놔야 하는 로프.

종혁은 로프를 집어 들다 멈춘 오택수를 봤다.

오택수는 갈등하다 혀를 찼다.

"내가 앞에서……."

"제가 주의 끌겠습니다."

종혁과 오택수가 최재수를 봤다.

아직 깁스를 풀지 않은 그.

이를 악문 최재수의 모습이 참 믿음직스럽지 못했지만 말다툼을 할 시간이 없다.

종혁은 이를 악물었다.

"2분입니다. 부탁할게요."

주의를 끄는 게 문제가 아니다. 혹여 투신을 했을 때 몸을 날려 받아 내야 된다.

119가 제 시간 안에 도착 못하면 최재수가 쿠션이 되어야 한다.

둘은 그런 비정한 선택을 하며 몸을 돌렸다.

"혹여 놓쳐도 자책하지 마. 네 탓 아냐."

"……오 경위님, 그리고…… 최 경위님."

둘은 잠시 멈췄다.

"꼭…… 살리세요."

고개를 끄덕인 둘은 계단을 박차고 올라갔다.

그러다 3층을 넘어서자 소리를 줄였다.

—야! 어이! 내려와라! 내려와서 이야기하자! 뭐 필요한데? 이 경찰 아저씨가 다 해결해 줄게! 전화번호 뭐야!

어설프기 그지없는 네고시에이션.

"……저 꼴통 새끼."

"참 고생하시네요."

피식 웃음을 터트렸던 둘은 이내 낯빛을 굳히며 조심히 발을 뗐다.

누군가 다가가는 걸 느끼게 해선 안 된다. 그에 불안감을 느껴 뛰어내릴 수 있으니까.

그렇기에 안절부절못하는 선생들도 손짓으로 내려 보낸 종혁은 옥상 문에 다다르자 고개를 내밀었다.

다행히 아무도 없다.

하지만…….

'줄을 묶을 곳도 없네.'

수신호를 보낸 종혁은 숨마저 죽이며 계단 난간에 줄을 묶고, 반대쪽을 배에 감았다.

똑같이 한 오택수는 종혁을 봤고, 서로 눈을 마주친 둘은 조심스럽게 옥상으로 발을 내디뎠다.

그때부터 시간이 점점 느려져 갔다.

'후우. 후. 제발 하지 마라. 제발…….'

10미터. 8미터.

한 발 한 발 굼벵이처럼 내딛는 걸음에 속이 갑갑해지고, 손만 뻗으면 닿을 것 같은 거리에 숨이 턱턱 막힌다.

그러다.

"안녕."

'어?'

염상철의 발이 앞으로 내밀어진다.

눈을 부릅뜬 종혁은 오택수를 치는 것과 동시에 수갑을 꺼내 들며 앞으로 달려 나갔다.

타다다다다!

"염상철-!"

흠칫!

놀라며 이쪽을 향해 느릿하게 돌려지는 고개.

종혁은 이를 악물며 땅을 더 강하게 박찼다.

그리고 가까워지자마자 몸을 날리며 수갑을 잡은 손을 휘둘렀다.

차알카악!

염상철의 발목에 채워지는 수갑.

그와 동시에 뛰어오른 오택수가 염상철의 뒷목을 잡아 끌었다.

"읏?!"

쿠우웅!

벌러덩 드러누운 종혁의 눈에 푸른 하늘이 비춰졌다.

*　*　*

삐용! 삐용!

뒤늦게 도착했던 119가 떠나고, 종혁은 수갑을 채운 염상철을 경찰차 안에 밀어 넣었다.

찰칵! 치익!

“야, 나도.”

종혁은 오택수에게 방금 불붙인 담배를 내밀었다.

“푸후. 씨발. 이게 진짜 뭔 난리래냐.”

“그러게…… 말입니다.”

까득 이가 갈린다.

‘대체 그 며칠 사이에 무슨 일이 있었기에…….’

그때 어르고 달랬으면 이런 선택을 하지 않았을까 하는 자책이 종혁의 몸을 감싼다.

‘분명 기억에 없는 사건인데…….’

학생이 학교에서 투신하려던 사건이다.

못해도 서울은 뒤집어졌어야 할 일이다.

그런데 듣지도 못한 걸 보면 미수로 끝난 사건일 수도 있다. 아니면 당시 너무 바빠서 기억 못하는 사건이거나.

강력반 형사가 된 지 얼마 안 됐을 때라 정신없이 바쁘던 시절.

뭐가 됐던 미리 막지 못했다는 죄책감이 종혁의 어깨를 짓눌렀다.

‘일단 육체적 폭행 때문은 아니야.’

몸을 일으켜 세울 때 부축하는 척 몸 여기저기를 만졌지만 반응이 없었다.

그 일진들에게 맞은 건 아니란 소리다.

'그렇다면?'

당시 뭔가를 말하려다 말았던 염상철의 모습.

당시엔 생각지 못했던 한 가지 가능성이 떠오른다.

그때, 오택수의 목소리가 종혁을 상념에서 깨웠다.

"아까……."

"예?"

"수갑을 채우는 건 어디서 배운 거야?"

그뿐만 발을 내밀어 뒤로 자빠지던 염상철의 머리를 보호했다.

"요즘 경찰대에서 그런 것도 가르쳐?"

"하하. 그냥 뭐 본능적으로……."

"그래?"

고개를 끄덕인 오택수는 약간 갈등하다 종혁을 툭 쳤다.

"잘했어."

"오?"

놀라는 종혁의 모습에 오택수가 얼른 고개를 돌린다.

"최 꼴통! 너도 이 새끼야!"

"아니, 칭찬을 할 거면 욕을 하지 말든가!"

그래도 최재수의 얼굴이 활짝 핀다.

종혁은 뿌듯해 하는 그를 보며 고개를 끄덕였다.

정말 잘해 줬다. 나빴던 첫인상이 이젠 생각나지 않을 만큼 말이다.

"저……."

이제 그들도 마무리를 하고 복귀하려던 차에 선생들이 다가온다.

“이제 상철이는 어떻게 됩니까? 학교에 피해는 없는 거죠?”

울컥!

“아니, 지금 그걸 말이…… 읍?!”

종혁은 입이 막혀 태워지는 최재수를 일견하며 선생들을 봤다.

그런 종혁의 눈은 무척이나 차가웠다.

‘정말 그게 말이냐, 방구냐.’

학생이 학교에서 투신하려고 했다.

몸은 괜찮냐, 어떤 일인지 모르겠지만 협조하겠다는 말보다 학교의 안위부터 살피는 작태에 욕이 나오지 않을 수가 없다.

‘이런 새끼들도 선생이라고!’

“그건 조사해 봐야 알 것 같습니다. 조사가 마무리되면 알려 드릴 테니 다른 학생들이나 다독여 주십시오.”

“예, 예. 그럼…….”

선생들이 입맛을 다시며 돌아서자 종혁은 결국 욕을 뱉어 냈다.

“개새끼들.”

‘내막이 밝혀지면 너희도 두고 보자.’

“저…… 형님…….”

종혁은 조심스럽게 다가온 유도복 입은 학생을 봤다.

유도 상비군 2군 김동현.

"네가 동현이냐?"

대회에 출전한다 해서 그동안 만나지 못한 동현. 종혁에 대해 많이 들은 그는 허리를 깊게 숙였다.

"처, 처음 뵙겠습니다, 주장님!"

"그래. 좋은 곳에서 좋은 느낌으로 보려고 했는데 이렇게 만나게 됐네."

"죄송합니다. 제가 단속을……."

"됐어. 대회에 출전했잖아. 그런 것보다…… 동현아."

"예?"

종혁의 눈이 차갑게 가라앉았다.

"혹시 왕따를 주도하는 애들에 대해 좀 아냐?"

처음에는 몇몇 양아치들이 무분별하게 삥을 뜯었고, 그날은 재수없게 염상철이 걸려든 거라고 생각했다.

하지만 그게 아니었다.

한두 번이라 할지라도 삥을 뜯긴 건 충분히 억울하고 화나겠지만, 그렇다고 그것만으로 자살까지 택한다는 건 말이 안 되는 일이었으니까.

즉, 염상철은 그날뿐만 아니라 지속적으로 아예 놈들의 타깃이 되어 괴롭힘을 당해 온 것이 분명했다.

그러나.

"저희 학교 왕따 없는데요?"

"뭐?"

"정말 없습니다. 저희 학교 애들 다 착해요."

종혁은 미간을 좁혔다.

"……일단 상철이 책상부터 보자. 1학년 4반이 어디냐?"

웅성웅성…….

복도에 서 있던 학생들 중 몇 명이 종혁을 보자 슬그머니 안으로 들어가거나 고개를 돌린다.

경찰을 꺼린다는 건 찔리는 일이 있다는 거다.

종혁은 생각에 잠긴 채 1학년 4반의 문을 열었다.

드르륵! 쿵!

모였던 시선들이 재빨리 흩어진다.

애써 외면하거나 필사적으로 옆 학생과 이야기를 나눈다.

그러며 계속 종혁을 힐끔거린다. 마치 잘못을 들키면 안 되는 아이처럼.

결코 평범하지 않은 반응이라서 헛웃음이 나온다.

머리에 열이 끓는다.

'왕따 없다며, 이 자식아.'

종혁의 눈빛이 다시 차가워졌다.

"학생, 염상철 학생의 자리가 어딘지 말해 줄래?"

"네, 네?"

"염상철 학생 자리."

"아, 그게…… 그게……."

안절부절못하는 남학생의 모습에 김동현은 그제야 뭔가 이상함을 느꼈다.

설마 한 동현은 와락 구긴 얼굴을 들이밀었다.

"힉!"

"야, 나 알지? 얼른 말해."

남학생의 얼굴이 하얗게 질렸다.

그리고 잠시 뒤.

"이, 이게……."

학교 건물 뒤편, 안 쓴 지 오래되어 보이는 소각장 옆 메마른 덤불 위에 우유 썩은 냄새를 풍기는 책상 하나가 뒹굴고 있다.

마치 누가 급하게 던져 놓은 듯.

종혁은 파랗게 질린 김동현을 봤다.

"이래도 왕따가 없냐?"

종혁의 눈빛은 무척이나 사나웠다.

* * *

죽어.

죽어 버려.

kill, kill, kill

차마 입에 담지 못할 욕설과 칼로 후벼 판 상처까지 가득한 책상.

세상 모든 악의가 담긴 듯한 책상을 보는 경찰들의 눈이 불신으로 가득하다.

"……이게 학교 뒤에 있었다고?"

먼지에 더럽혀진 이 책상은 학교 건물 뒤편 소각장 근

처에 숨겨져 있었다.

염상철도 멍한 눈으로 맞다한 본인의 책상.

어떻게 찾았냐는 듯한 눈빛에 종혁은 화가 폭발할 뻔했다.

그 후 염상철이 병원에 가서 다행이었다.

만약 염상철이 계속 눈앞에 있었다면 치미는 화를 참지 못하고 파출소를 부숴 버렸을지도 모른다.

"……책상이 교실에 없더라고요."

종혁은 여기서도 화가 폭발할 뻔했다.

동현이 나서 주지 않았다면 이 책상도 찾지 못할 뻔했다.

"뭐?"

"씨발?"

"아니이……."

경찰들이 눈을 질끈 감는다.

너무 화가 나고 어이가 없어서 눈물을 흘리는 경찰도 있다.

"어떻게 사람이 사람에게 이럴 수 있냐. 그것도 십대 애새끼들이! 대체 누구야! 어떤 새끼들인 거야!"

쾅!

의자를 걷어차는 장철호 소장의 눈에 안타까움이 서린다.

이런 왕따 사건은 가해자를 특정 지을 수가 없기에 가해자를 찾는 게 힘들거니와 혹여 가해자를 알아내도 처벌이 힘들다.

같은 반 학생, 같은 십대일 게 뻔하기 때문이다.
그리고 결정적으로 곧 경찰서 형사들이 올 거다.
강력계에서 와 주면 고맙겠지만 어차피 소년계일 터. 강력계 사건으로 접수됐어도 소년계로 보낼 게 분명하다.
화가 머리끝까지 솟는데도 그 꼴을 지켜보는 것밖에 할 수 없다는 게 그들로선 참을 수 없을 만큼 힘들었다.
그건 종혁도 마찬가지였다.
"어떤 놈들인지는……."
"음?"
"지금부터 알아봐야죠. 저 잠시 외근 다녀올 테니까 그거 건드리지 마세요. 혹시라도 오염되지 않은 지문이 있을 수 있으니까."
"어? 야! 최 경위! 종혁아!"
파출소를 나선 종혁은 염상철이 입원한 병원으로 향했다.

* * *

병원 주차장에 차를 주차한 종혁은 잠시 생각에 잠겼다.
"주동자가 누구길래……."
결국 왕따는 반 전체, 소속된 집단 전체가 합의를 하기에 성립되는 일이다.
재밌어서, 관심이 없어서, 주동자가 무서워서.
그 어떤 이유에서든 결국 암묵적으로 합의를 하고 왕따

에 동참하거나 피해자를 외면한다.

즉, 적극적으로 왕따에 동참하지 않았어도 최소한 방관자임은 부정할 수 없는 것이다.

하지만 경찰까지 나서는 상황에 이른다면, 방관했던 이들 중에는 용기를 내는 이들이 나오곤 한다.

그게 자신에겐 죄가 없다고 주장하고 싶어서든, 일말의 죄책감이나마 덜어내고 싶어서든 말이다.

“그런데 단 한 명도 그런 기미를 보이지 않았어.”

아마 감히 움직일 생각조차 하지 못할 정도로 주동자에 대한 두려움이 강한 것이리라 종혁은 예상했다.

하지만 그게 아니라면…….

“……아니겠지. 아닐 거야.”

종혁은 부디 자신이 생각한 게 답이 아니길 바라며 발을 뗐다.

“충성.”

병실 문 앞을 지키는 한승연의 낯빛이 피로로 가득하다.

“혹시 기자들 왔다 갔어요?”

한승연은 할 말이 참 많은 표정을 지었고, 종혁은 씁쓸히 웃었다.

‘하이에나 새끼들.’

종혁은 병원 건물 뒤편 주차장에 차를 세우고 와서 다행이라고 생각했다. 만약 그를 발견한 기자들이 달려들었다면 어떤 욕을 했을지 몰랐다.

“형사들은 왔다 갔어요?”

사건은 관할 경찰서로 인계시켰다.

미수지만 자살 사건이다. 파출소가 담당할 사건이 아니다.

한승연은 경찰서에서 순경이 도착하면 인수인계를 하고 돌아갈 예정이었다.

"오셨다 가셨는데……."

무슨 말인지 알 것 같다.

'소득이 없었겠지.'

이런 사건 대부분이 그렇다.

몸은 구했다 한들 마음의 문을 걸어 잠가 버리니 입도 열리지 않는다.

한승연의 어깨를 두드린 종혁은 병실 안으로 들어갔다.

벌떡 일어나는 부모들과 멍하니 창밖만 보는 상철.

종혁은 상철을 향해 허리를 숙였다.

"미안하다. 이 아저씨가 그때 네가 보낸 신호를 알아차리지 못해서 정말 미안해."

눈치채지 못한 게 아니지만, 결국 알아차리지 못한 거다.

움찔!

얼굴이 일그러진 종혁은 그에게 다가가 손을 꼭 잡았다.

벗어나려 발버둥 치는 손.

"많이 무서웠지?"

주룩!

어느새 종혁을 본 상철의 눈에서 뒤늦게 눈물 한 방울이 흘러내렸다.

* * *

종혁은 일단 부모를 내보냈다.

상철의 눈물에 가슴을 치며 울음을 터트린 그들이 있으면 열릴 입도 열리지 않을 수 있다.

17살, 한창 예민할 나이 때의 학교 문제란 그런 거니까.

더욱이 상철은 끙끙 앓다가 결국 자살을 선택했다. 지금은 부모를 의지할 수 없는 상황이었다.

"왕따지?"

코코아를 마시던 상철의 몸이 굳는다.

그의 사과에 미세하게 열렸던 마음의 문이 도로 닫히려 들자, 종혁은 얼른 머리카락을 헤쳐 정수리를 보여 줬다.

"보이니?"

큰 상처다.

상철은 왜 그걸 보여 주냐며 고개를 모로 기울였다.

"이 아저씨도 어렸을 땐 참 많이 맞았어."

"……?!"

"지금이야 몸이 이렇지만, 그땐 뭐…… 쉬는 시간마다 학교 뒤로 끌려가 맞고, 냄새난다고 따돌림을 당하고, 책상은 테러당하고. 결국엔 없는 사람 취급까지 하더라. 교실에서 내가 지워진 거야."

상철의 눈이 크게 흔들린다.

"지금이야 이렇게 경찰이 됐지만, 그땐 참 힘들었지."

상철의 상체가 이쪽을 향해 돌려진다.

"그래서 그때 내가 어떻게 했을까? 어떻게 했을 것 같니?"

종혁은 상철의 눈을 빤히 보았다.

"신고했어."

움찔!

"……네?"

드디어 입이 열렸다.

"파출소, 경찰서가 아니라 기자들에게 내가 이렇게 당했다고 신고했어. 나뿐만 아니라 그렇게 당한 모든 애들의 피해 내역을 싹 다 적어서."

"기자요?"

"응. 당시 짭새, 아니 경찰들의 엉덩이가 좀 무거워야지. 그러니 일단 질러 버린 거야. 사회적 이슈로 만든 거지. 그럼 어떻게 되는지 알아?"

"아, 아니요."

"경찰들이 달려와. 파출소가 아니라 경찰서 형사들이."

"네? 왜요?"

"안 그러면 서장 목부터 날아가거든."

"……학생 일인데요?"

종혁의 마음속에서 눈이 질끈 감겼다.

'알아봤구나.'

나름 알아본 거다. 자신이 구해질 수 있는지에 대해.

그러니 이런 말이 바로 나온 거다.

그리고 '학생'이라고 했다. 학생들이 아니라 학생.

'너만 이 끔찍한 일을 당한 거구나!'

"그 학생이 누군가에겐 자식이고, 손자손녀야. 어른들이 이 사실을 알고 과연 화내지 않을 수 있을까? 대통령도 그 어른들의 손에 뽑히는데?"

"아!"

"자, 상황이 이렇게 됐어. 그럼 그놈들은 처벌을 받았을까, 안 받았을까?"

"바, 받았다? ……받았어요? 받았죠?"

종혁은 드디어 눈에 빛을 찾는 상철의 손을 꽉 잡았다.

"너도 그렇게 만들 수 있어."

상철의 눈이 다시 흔들린다.

그러다 체념을 머금어 간다.

"하, 하지만……."

"주동자들 중에 빽이 좋은 놈이 있구나?"

"네! 학교 선생님들도 다……."

"걱정 마. 그런 위협도 해결해 주는 게 경찰이 하는 일이니까. 그러니 상철아."

"……네."

"넌 그냥 말만 해 주면 돼. 그걸 떠올리는 게 힘들고 괴롭겠지만 정말 잠깐만. 그럼 이 아저씨가 다 해결해 줄게."

"저, 저는……."

믿어도 될까. 이 사람은 믿어도 될까.

갈등하던 상철은 어떤 위험도 이겨 낼 것처럼 단단한

종혁의 눈을 보고 결국 마음을 정했다.

상철은 눈을 질끈 감았다. 그의 눈에서 눈물이 흘렀다.

"저는 쓰레기통이었어요. 반뿐만 아니라 학년 전체의."

종혁의 얼굴과 몸이 딱딱하게 굳었다.

결국 생각했던 게 맞아서.

아니, 생각했던 것보다 더 규모가 컸다.

'미치겠군.'

* * *

'전따!'

학교 전체가 한 사람을 따돌리는 거다.

'이래서 학생이라고만 한 거구나!'

청일고 1학년 중 그 혼자만 왕따니까.

아니, 학년 전체가 상철만 괴롭히는 거니까.

발단은 사소했다.

한눈을 팔다 주동자와 어깨가 부딪쳤고, 깜짝 놀라 사과를 못했다. 이후 교묘하고 악랄한 괴롭힘이 시작됐다.

처음은 책상에 '죽어!'라고 적힌 빨간 글귀였다.

놀라 굳어 있을 때 쓰레기를 버리러 가던 학생과 부딪쳐 쓰레기를 뒤집어썼다. 누군가에게 떠밀린 학우 때문에 넘어졌고, 다음 날엔 책상에 썩은 우유가 뿌려져 있었다.

그렇게 악운과 악의가 함께 몰려들었다.

그런데 아니었다.

운이 없었다 여긴 것 또한 우연을 가장한 괴롭힘이었다.

그걸 깨닫게 된 순간부터 진짜 지옥이 펼쳐졌다.

음료수를 뒤집어썼고, 체육복은 계속 찢겨졌다.

처음엔 마치 누가 시킨 듯 어색해하던 반 학생들이, 작고 소심해 보였던 아이들이 나중엔 먼저 비웃고 스쳐 지나가며 욕을 했다.

죽어. 왜 사니. 냄새나.

한 달 후엔 옆 반 학생이 달려와 '씨발놈아!' 크게 외치고는 웃으며 도망쳤다.

그 순간 상철은 완전히 무너졌다.

"반에서 도망쳐도 숨을 돌릴 수 없었어요."

그 거대한 악의에 숨통이 짓눌렸다.

그렇게 상철은 1학년 전체의 쓰레기통이 되었다.

기분 나쁜 일이 있으면, 심심하면 찾아와 욕설을 퍼붓고 가는 감정의 쓰레기통이.

샌드백이 아니라 쓰레기통.

그들은 단 한 번도 때리지 않고, 그렇게 만들었다.

"그만. 그만하면 됐어."

'이러면 안 되지.'

사람이 사람에게 이러면 정말 안 되는 거였다.

"용기 내 줘서 고마워. 그러니……."

까드득!

"이제부턴 이 경찰 아저씨에게 맡겨."

"부, 부탁드릴게요. 제발……."

"네가 다시 등교할 때쯤에는 모든 게 끝나 있을 거야. 그러니 아무 생각 말고 푹 쉬어."

종혁은 몸을 일으켜 문으로 향했다.

동시에 등 뒤에서 울음이 터졌다.

이를 악물며 문을 잡던 종혁은 순간 아차 했다.

"아, 참고로 왕따를 당한 건 국민학교 저학년 때야. 그 이후로는 맞으면 나도 때리고 다녔어."

"……네?"

문을 닫고 나온 종혁은 빠르게 다가오는 부모에게 명함을 내밀었다.

"기억하세요. 상철이 아버님, 어머님."

"뭘……."

"두 분께 어떤 압력이 들어온다고 해도 제 빽이 훨씬 셉니다."

"예?"

"들어가 보세요. 지금 상철이에게 가장 필요한 건 부모님이니까요. 가자, 한 순경."

"예!"

종혁과 승철의 대화를 들은 건지 눈물을 글썽이던 한승연은 다급히 그들에게 거수경례하고 종혁의 뒤를 따랐고, 어리둥절해하며 병실로 들어간 상철의 부모는 상철의 마음이 활짝 열렸다는 걸 깨달았다.

"상철아!"

"엄마! 허어엉!"
병실은 울음바다가 됐다.
그리고 잠시 뒤 파출소.
"후우우."
종혁은 몇 년 전부터 폭발적으로 인기를 얻은 미니홈피를 보며 이를 갈았다.
그건 다른 경찰들도 마찬가지였다.

—상철아. 대답해라, 상철아.
—씨발! 너 때문에 여친이랑 헤어졌잖아!
—죽어. 죽어. 죽어 ㅋㅋㅋ
—자살하는 방법 357번째!

이곳에 다 있었다.
여리고 허약한 개구리에게 돌을 던진 악마들이.
모든 증거가.
'죽으라고?'
"아니, 내가 너희 죽여 줄게."
종혁의 눈이 분노로 번들거렸다.

* * *

탁탁!
홍익파출소 경찰들은 종혁이 정리하는 두꺼운 A4 뭉치

를 보며 이를 갈았다.

상철의 미니홈피에 남겨진 댓글들.

그리고 그 댓글을 남긴 악마들의 미니홈피에서는 상철을 두고 웃고 떠드는 대화가 오가고 있었다.

오늘 상철이 어떤 꼴을 당했는지.

무슨 표정이었는지.

그것들을 두고 희희낙락거렸다.

치가 떨리고 이가 갈릴 수밖에 없다.

"종혁아. 아니, 최 경위."

"예. 소장님."

"그걸로 그 개새끼들 싹 다 죽일 수 있는 거 맞지?"

아니다. 이걸론 살짝 부족하다.

상철이 그랬다. 집에 도착하면 버디프랜드를 켜야 했다고.

그러면 누군가가 상철을 초대해 그가 내일 어떤 일을 겪게 될 것인지 자세히 설명해 주었다.

이 악마들은 전날부터 상철의 숨통을 조인 것이다.

이것까지 더해지면 완벽한 증거가 될 터.

종혁은 간절히 쳐다보는 장철호 소장, 오택수, 최재수, 한승연, 이경숙 등 같이 날밤을 새며 이 증거 자료를 캡처한 이들을 바라보며 고개를 끄덕였다.

"예, 그렇게 될 겁니다. 걱정 마세요."

증거가 이렇게 명확한 이상 판사 할아버지가 와도 무죄는 못 때린다.

‘증거가 누락되지 않은 이상!’

하지만 그럴 가능성은 거의 없다.

염상철의 투신 미수 사건이 보도를 탔기에 관할 경찰서도 촉각을 곤두세우고 있을 터였다.

“그럼 다녀오겠습니다! 충성!”

종혁은 관할서인 마포경찰서로 향했다.

‘자, 이제 죽자.’

* * *

“허.”

이번 사건의 담당 형사는 무려 50cm나 되는 캡처 자료를 보며 혀를 내둘렀다.

“아니…….”

종혁은 사정을 설명했고, 담당 형사의 낯빛은 딱딱하게 굳었다.

“전따…….”

“그것도 증거, 즉 육체적인 폭행을 하지 않고 정신적으로 폭력을 휘둘러 피해자를 죽이려 든 악랄한 수법입니다.”

이래서 염상철의 부모도 알아차리지 못했던 거다.

한국에선 쉬이 보기 힘든 수법이지만, 옆나라 일본에선 제법 흔한 수법.

주동자는 일본 만화책에서 이걸 봤건 아니면 일본 유학

을 다녀왔건 어떤 형태로건 이걸 배운 거다.

이런 종혁의 말에 담당형사의 표정이 더 딱딱해진다.

"……알겠습니다. 수고하셨어요."

"그 외에도 버디프랜드에 채팅 내역을……."

"걱정 마시라고요. 이제 나한테 맡기고 돌아가 봐요."

심각한 그의 모습에 종혁은 고개를 끄덕이며 거수경례를 했다.

"부탁드리겠습니다."

"그래요. 충성."

그렇게 마포서를 빠져나온 종혁은 한숨을 내쉬었다.

고비는 다 넘겼다.

이제 놈들은 곧 지옥을 겪게 될 거다.

그동안 편안하고 든든한 울타리였던 부모부터 눈빛이 달라질 것이며, 세상 어딜 가도 범죄자란 꼬리표가 따라붙을 거다.

냉혹한 사회에선 그런 그들을 써 줄 일 없으니 결국 도태되고 망가질 것이다.

단 한 번의 장난 아닌 장난이 평생을 망치는 거다.

아니, 사회란 거대한 세상이 그들을 따돌림시키는 거다.

"그럼 이제 남은 건…… 선생들이지."

음료수를 뒤집어쓰고, 썩은 우유를 뒤집어쓰고, 체육복도 수없이 찢어졌다.

그런데도 선생들이 모른다?

말도 안 된다.

그들은 이 끔찍한 범행을 방관하고 있었던 거다.

'그러니 당신들도 죽자.'

어차피 1학년 숫자가 굉장히 감소할 청일고.

선생들이라고 남아 있을 이유는 없었다.

종혁은 이를 드러내며 파출소로 복귀했다.

그렇게 이틀이 흘렀다.

"뭐지?"

"뭐가?"

"후속 보도가 안 나와서요."

"염상철?"

종혁은 고개를 끄덕였다.

지난 이틀간 너무 바빠서 잠시 잊고 있었던 오택수도 그제야 뭔가 이상함을 느꼈다.

"그러게. 뭐지?"

전따다.

그것도 수법이 무척이나 교묘하고 악랄하다.

더욱이 염상철이 투신하다 미수로 끝난 사건을 기사로 썼는데도 기자가 이 엄청난 특종을 무시한다?

당연히 이상할 수밖에 없다.

"최 경위님, 기사 떴습니다!"

그럼 그렇지, 그들은 안도를 하며 그 말을 외친 순경에게로 향했다.

그리고…….

"야, 담당형사에게 전화 걸어 봐."

염 모 학생 우울증으로 밝혀져.
평소 우울증을 앓고 있던…….

파출소가 뒤집어진다.
"아니, 씨발. 내가 건다."
성질 급한 오택수가 전화기를 들었다.
종혁은 그걸 스피커폰으로 돌렸다.
—예, 마포서…….
"됐고. 나 홍익파출소 오택수 경윈데. 이 기사 뭐냐?"
—……하아. 그렇게 시간 많으세요?
"뭐?"
—나도 나름대로 열심히 하고 있으니까 파출소는 취객이나 잡으세요, 네? 씨발. 하루에 쏟아지는 사건이 몇 갠데. 끊어!
모두가 전화기를 멍하니 쳐다보고.
'이것 봐라?'
종혁의 입술을 비틀어진다.
오택수는 다시 전화를 걸었다.
"야, 이 개새끼야! 너 돈 먹었지?! 그렇지?!"
"최, 최경위 님!"
겁에 질린 한승연의 목소리.
고개를 돌린 종혁은 그녀가 켜 놓은 모니터, 아니 염상철의 미니홈피를 보고 웃음을 흘렸다.

"이야."

깨끗하다.

방명록에 남겨져 있던 댓글들이 남김없이 사라졌다.

파출소 경찰들은 탄성을 터트리는 종혁을 보고 굳어 버렸다.

'이, 이런 상황에서 웃고 있어?'

화가 난 거다.

폭발한 거다.

그동안 좀 거칠긴 했지만, 파출소 식구들에겐 친절하고 다정했던 종혁.

이런 사람이 한번 돌아 버리면 정말 무서운 거다.

장철호 소장은 파출소를 빠져나가려는 종혁의 모습에 기겁했다.

"야, 야! 최 경위 잡……."

턱!

소장의 말이 끝나기 전, 오택수가 먼저 종혁의 팔을 잡았다.

"갈 거면 같이 가자. 나도 이 개새끼 좀 패야겠으니까."

종혁은 눈시울이 뜨겁게 달아오른 오택수를 봤다.

걱정과 분노로 가득한 오택수의 눈빛에, 종혁은 도리어 머리가 차갑게 식었다.

"가긴 어딜 갑니까."

"뭐?"

"저쪽에서 개지랄 떤다고 이쪽에서도 그럴 필요는 없잖아요."

'이럴 땐 스마트하게 몽둥이를 들면 되는 겁니다.'

"……응?"

종혁은 갸우뚱하는 그들을 뒤로하며 파출소를 빠져나왔다.

찰칵! 치익!

내뿜는 담배 연기에 회한이 섞인다.

"믿고 맡겼는데……."

같은 경찰, 한 식구라고 믿어 의심치 않았다.

하지만 그게 너무 큰 방심이었던 것 같다.

많이 솎아 졌는데도 아직까지 견찰이 남아 있었다.

"정말 어떻게 이걸 묻을 생각을 했는지……."

그저 용의자들이 합당한 죗값을 받기만을 원했을 뿐이다.

비록 사회의 시선은 냉혹할지언정 정말 뉘우치고 성실히 살다 보면 언젠간 기회가 생겼을 것이다.

부모란 울타리가 있기에.

시선이 달라졌을지언정 부모는 부모이기에.

그런데 그 기회를 부모가 걷어차 버렸다.

자식을 훈계하기보다 염상철의 상처를 헤집어 평생토록 낫지 못하게 만들었다.

10년, 20년이 흐르면 어쩌면 나았을 상처를.

"그러니 이건 당신들이 자초한 일이야."

종혁은 핸드폰을 들었다.

—예. 사회부 박영일 기자입니다.

"저예요, 박 기자님. 혹시 청일고 사건 아세요?"

—알지. 우리 막내가 취재한 건데. 우울증으로 결론 났잖아.

"그게 조작된 거면요? 실제론 1학년 전체가 염상철 학생을 왕따시킨 거면요?"

—……뭐?

쿠당탕!

전화기 너머에서 의자가 넘어지는 소리가 들려왔다.

—자, 자세히 말해 봐.

상세히 설명한 종혁은 한마디 덧붙였다.

"이거 중앙지검으로 넘길 수 있도록 도와주세요."

올해 서울중앙지방검찰청으로 이름을 바꾼, 아니 승격된 서울지방검찰청.

종로, 강남, 서초, 중구 등 서울의 중심 지역을 관할로 두는 이곳은 사회적으로 큰 이슈가 된 사건 역시 다룬다.

아니, 큰 이슈가 된 사건은 무조건 중앙지검 소관이다.

—강 검사님? 알았어. 나한테 맡겨. 그런데…… 아니다. 끊을게.

"예, 부탁드릴게요."

종혁은 다른 누군가에게로 전화를 걸었다.

"납니다. 마포구 청일고 1학년 전체 부모들 뒷조사하는데 얼마나 걸리겠어요? 돈은 얼마가 들어도 상관없습니다."

그동안 계속 이용했던 흥신소.

종혁은 주동자 이름들을 말했다.

“이놈들 부모부터 파 주세요. 재산 규모, 탈세 여부 등 모든 걸. 마포경찰서장도.”

-겨, 경찰서장도 말입니까?

“최대한 빨리. 돈은 얼마가 들어도 상관없습니다.”

전따. 용의자만 300명이 넘는 대형 사건이다.

그런데 이게 묻혔다.

고작 강력계 형사 혼자 이 정도로 큰 사건을 덮는다?

말이 안 된다.

윗선에서 묻으라고 한 거다.

서장, 어쩌면 그보다 더 위.

일단 서장은 확정이었다.

종혁은 담배를 끄며 몸을 돌렸다.

그의 눈에선 감정을 찾아볼 수 없었다.

“아.”

종혁은 다시 핸드폰을 들었다.

“납니다, 권 이사. 세이월드와 버디프랜드 지분 좀 매입해 주세요. 인수됐다고요? 그럼 그쪽 지분을 매입하세요. 사 버리든가.”

언제 또 이런 일이 생길지 모른다.

그때를 대비해야 됐다.

“그리고 마포구 청일고 학생 전원 메시지 데이터 보관토록 하세요. 서버에서 자동 삭제되지 못하도록.”

* * *

고풍스런 분위기의 레스토랑.

15명의 사람들이 앉아 있다.

전세를 낸 듯 레스토랑엔 오직 그들뿐이다.

"정말 감사합니다."

정장을 말끔하게 차려입은 오십대 장년인이 상석에 앉은 골프웨어를 입은 또래의 장년인에게 허리를 숙였다.

그뿐만 아니다. 사십대의 장년인들도 허리를 숙였다.

"허허. 혈기 넘치는 십대 학생이 잠시 일탈을 한 것뿐인데 뭐 별일을 했다고……."

괜찮다며 손을 저은 장년인은 대각선 자리에 앉은, 염상철 전따 사건의 담당 형사를 봤다.

"그렇지, 박 경위?"

"옙! 서장님의 말씀이 옳습니다!"

"거보세요."

그렇게 말했지만 솔직히 이건 그에게도 도박이었다. 무려 경찰청장이 예뻐 하는 종혁이 얽힌 일이라서.

하지만…….

'어쩌다 박종명 서장님에게 찍혀 가지곤. 쯧쯧.'

얼마 후 부산경찰청장으로 가는 강남서장, 마지막까지 최기룡과 경찰청장직을 놔두고 다퉜던 박종명 서장.

경찰 조직 내에 파벌이 많아 최기룡 청장도 함부로 건

드리지 못하는 박종명이 부탁해 왔다.

종혁을 손봐 줄 수 있겠냐고.

마포서장은 이걸 기회라고 생각했다.

더 높은 곳, 강남서 같은 네임드 경찰서장이나 부산청 같은 대도시 경찰청으로 갈 수 있는 기회.

운이 좋았는지 관내에 추격 사건이 터지기에 과잉 진압으로 엮으면 되겠다 싶었다.

그래서 징계위원회를 소집하려던 찰나, 종혁이 염상철을 구하면서 무산되었다.

그래도 정상 참작을 한 박종명이 뒤를 봐주기로 했기에 이번 사건도 은폐할 수 있었던 거다.

'뭐 이번 사건에 앙심을 품고 덤벼들면 징계 내리면 되는 거지. 어떤 이유를 달아서건.'

이곳은 마포구다.

마포구에선 그가 법이다.

얼추 합당한 징계면 최기룡도 간섭하지 못한다.

"그러니 자치위원님들도 이제 그만 걱정은 내려놓으세요. 다 끝났으니까."

그제야 중장년인들의 표정이 활짝 핀다.

그들은 옆에 앉은 자식들의 옆구리를 찔렀다.

이번 사건의 주동자들.

정말 자식만 아니라면 다리몽둥이를 부셨을지 모른다.

"뭐해, 이 자식아. 얼른 고맙다고 인사 안 드리고!"

여기 왜 와 있는지 모르겠다는 얼굴을 하던 그들이 아

랫입술을 내밀며 일어선다.

"감사합니다……."

떨떠름하고 귀찮다는 얼굴에 서장의 얼굴이 꿈틀거렸지만 이내 그는 허허 웃었다.

그들의 부모 때문이다.

마포구에서 방귀 좀 뀐다는 자치위원들.

이 넓은 레스토랑도 이들 중 한 명의 소유일 만큼 각자 대단한 재력가들이다.

드리워진 기회를 잡고 더 높은 곳으로 향하기 위해선 여러 가지가 필요하기에 이 정도 무례는 얼마든지 참아줄 수 있었다.

"그래. 다음부턴 그러면 안 된다?"

"……."

침묵을 하는 자식의 모습에 오십대 장년인이 얼른 입을 열었다.

"자, 그럼 식사하실까요?"

짝짝!

"여기 얼른 음식 내와!"

그들은 식사를 시작했다.

"자, 2차 가셔야죠!"

"2차요?"

불쾌한 식사를 끝내고 레스토랑을 나서던 서장이 눈을 반짝이고, 오십대 장년인은 아들을 데리고 옆으로 빠졌다.

그는 자신의 아들의 뺨을 후려쳤다.

쩌억!

"악!"

"기껏 일본 유학에 보내 놨더니 그딴 짓이나 배워 와서 이런 사고를 쳐?"

"아, 아빠?"

"그리고 사건을 무마하고 이 자리를 만드는 데 얼마가 들었는지 알고 그딴 표정을 지어!"

"……."

"집으로 꺼져!"

입술을 달싹이던 소년은 이내 고개를 푹 숙이며 큰길로 향했고, 장년인은 혀를 찼다.

"저놈 저거, 언제 사람 되려는지……."

못난 자식 때문에 오늘도 속이 타들어 가는 그다.

고개를 저은 그는 서장을 달래기 위해 걸음을 옮겼다.

* * *

"어으……."

"어제 뭔 술을 그렇게 마신 거예요? 평소엔 12시 되면 들어오던 양반이?"

"누구 때문이겠어. 서준이는?"

"……학교 갔어요. 그런데 어제 설마 서준이 때렸어요?"

"그럼 그놈을 그냥 놔둬?! 이번일 무마하느라 돈을 얼마나 쓰고, 인맥을 얼마나 썼는지 알아?! 그놈 때문에 날아간 인맥만 다섯 개야! 다섯 개!"

훗날 정말 필요할 일이 생겼을 때 써먹었어야 할 기자 인맥.

마포구에서 의류 사업을 크게 하는 그에겐 기자란 혹여 사업이 기울었을 때나 경쟁자가 생겼을 때 쓸 조커였다.

"흐흠. 그럼 이제…… 아무 문제없는 거죠?"

"꿀물이나 가져와. 신문도."

"네에."

장년인 안방을 나서는 아내를 바라보다 이내 한숨을 푹 내쉬며 몸을 일으켰다.

"썩을 놈. 다시 일본으로 유학을 보내 버리든가 해야지, 원……."

"여, 여보!"

그는 아내가 가져온 신문을 보고 하얗게 질렸다.

"이, 이게 왜……!"

러시아를 지배한 드바 로마노프.

의류계의 공룡! 한국에 상륙하다!

지이잉! 지이잉!

"여, 여보세요."

–사, 사장님! 저희 매장들 옆 건물에……!

* * *

마포구의 한 카페 안.

단발머리의 미녀가 다리를 꼬고 앉는다.

이제 고작 이십대 초반인 미녀.

"오랜만이에요, 오빠."

생글생글 웃는 그녀의 미소에 종혁은 앓는 소리를 냈다.

"왜 네가 왔냐……."

그녀가 이번 일의 중추지만 종혁으로선 떨떠름할 뿐이다.

"미진아."

에바 미진 킴. 김미진.

오래전 맺은 인연이다.

"제가 온 게 못마땅한가 봐요? 난 엄청 보고 싶었는데."

"그럴 리가."

종혁의 입가에 푸근한 미소가 맴돈다.

끔찍한 사건의 피해자였던 그녀.

빅토르와 함께 동대문을 돌아다니며 살고 싶다 외쳤던 그녀.

그래서 돕게 된 그녀.

그랬던 그녀가 결국 이렇게 성공해 나타났다.

드바 로마노프의 패션 전략기획의 1팀장, 아니 지금은 드바 로마노프 코리아 전략기획실장이다.

대견하지 않을 수 없다.

하지만…….

"야, 말은 똑바로 하자. 네가 날 피한 거지, 내가 널 피한 건 아니잖아."

"……뭐 그렇다 쳐요."

"이 자식이 러시아에 살더니 못된 것만 배워 가지고……."

모른 척 커피를 홀짝이는 그녀의 모습에 피식 웃던 종혁은 이내 낯빛을 굳혔다.

"그런데 빅토르가 널 보낼 줄은 몰랐는데."

그녀의 본래 직책은 패션 전략기획의 1팀장이다.

드바 로마노프의 중추이며, 빅토르가 언론에도 내비치지 않고 감싸던 인재다.

그저 드바 로마노프 코리아라는 형식적인 타이틀 정도만 필요했던 종혁으로선 빅토르의 마음 씀씀이가 고마울 수밖에 없었다.

"그렇지 않아도 러시아는 포화 상태라 해외로 눈을 돌리려던 와중에 오빠에게 제의가 들어왔던 거예요. 좋은 곳에서도 투자 제의를 해 온 상황이기에 저희로선 거절할 이유가 없었죠."

종혁이 이야기는 꺼내기 전에 이미 투자 제의를 한 곳이 있었다.

바로 권&박 홀딩스였다.

김미진이 파악한 바에 의하면 권&박 홀딩스의 AUM(운용 자산)은 러시아의 공룡 기업이라 불리는 드바 로마노프의 총자산을 앞질렀다.

설립된 지 10년도 안 된 회사의 규모라고 하기에는 무서울 정도였다.

"오. 제법 회사원다운 말을 하는데?"

"정말 이럴 거예요?!"

"응. 이럴 거야."

부르르 떨던 미진은 이내 낯빛을 굳혔다.

"그래서 왜 여기인데요?"

여성천하, 남성천하, 아약스 등 마포구에 퍼져 있는 의류 매장들. 종혁이 드바 로마노프를 세워 달라고 한 장소는 바로 그 매장들의 옆이었다.

그곳들은 드바 로마노프와 비슷한 SPA의 길을 걷고 있었다.

매일 입고되는 새로운 디자인의 옷들.

동대문에서 저가로 옷을 떼어 오는 듯 그 퀄리티가 낮지만, 매일 새로운 디자인이란 메리트는 충분히 경쟁력이 있다.

물론 그렇다고 한들 전문 기업인 드바 로마노프에 비할 바는 아니지만, 그녀는 이 상황을 우연이라고 볼 수 없었다.

"나 경찰 된 건 알지?"

"네."

"지금 맡고 있는 사건이 하나 있는데, 이 양반이 걸림돌이라서 말이야."

흥신소에서 파악한 주동자들, 아니 그들 부모의 중추가

바로 이 의류 매장들을 가진 박홍식이란 인간이었다.

박서준의 아버지, 박홍식.

그가 보유하고 있는 매장들의 가치를 모두 합하면 무려 300억이 넘었다.

그런 그에게 탈세로 돈 조금 토해 내는 것은 별다른 타격을 주지 못할 터였다.

애당초 그건 시작에 불과할 뿐.

처음부터 종혁은 그가 지닌 힘을 완전히 없애 버릴 작정이었다.

경찰서장을 움직였던 그 힘. 돈을.

미진은 입을 떡 벌렸다.

"그, 그러니까 사건 하나 해결하려고 로마노프를 움직였다는 거예요?"

"왜? 그럼 안 돼?"

"……미쳤어."

러시아 패션 1위 기업인 드바 로마노프다.

종혁은 그런 드바 로마노프의 창업 공신이라고 할 수 있는 인물이며, 지금도 천문학적인 액수를 컨설팅 비용으로 받는다.

이런 종혁이기에 막말로 전함을 구해 달라고 해도 빅토르는 흔쾌히 응해 줄 거다.

종혁은 그 정도로 막대한 패를 하나 써 버린 거다.

고작 사건 하나를 해결하기 위해.

"그때도 생각했지만, 오빠는 정말 일반사람들과 다른

것 같아.”

고작 17살 어린 나이에 천만 달러를 아무렇지 않게 생각했던 종혁.

“고작 이십대 초반에 대기업의 실장이 된 너는 정상이시고요? 그리고 존댓말해라, 짜샤. 이게 어디서 말을 놔?”

“왜…… 요. 나도 이제 같은 이십대인데! 요.”

“됐고. 본론으로 들어가자. 셔터 닫는 데 얼마나 걸리겠냐?”

종혁의 표정이 진지해지자 미진도 진지해졌다.

그녀는 핸드백에서 안경을 꺼내 썼다.

“치킨 게임 들어가면 길어야 반년이죠.”

“늦네.”

“말 그대로 정말 셔터 닫는 시간이에요. 한 달만 돼도 자금이 경색돼서 죽을 맛일 거예요.”

제아무리 옷 장사가 외상과 어음으로 돌아간다지만, 그것도 지불할 능력이 될 때다. 한 달, 아니 2주만 지나도 이 매장들 중 절반은 새 옷을 받을 수 없게 될 것이다.

“거기에…….”

“거기에?”

“아니요. 아니에요.”

아닌 게 아니다. 빅토르는 수단과 방법을 가리지 말고 최대한 빨리 구역을 지배하라는 지시를 내렸다.

‘불법을 저지르진 않을 테지만, 경찰인 오빠가 알면 좀

그럴 테니까.'

그녀는 배시시 웃었지만, 찰나 섬뜩해졌던 그녀의 눈빛을 캐치한 종혁은 고개를 끄덕이며 일어섰다.

"오케이. 그렇게 진행해 줘. 모레 오픈이지?"

"뭐야. 그냥 가려고요? 나 정말 오랜만에 한국 왔는데?"

"오늘은 만나야 될 사람이 많아서. 저기 밖에서 귀여운 짓 하는 사람들도 치워야 하고."

움찔!

카페 밖 도로에 세워진 차 뒤에 눈만 내밀고 있다 시선이 마주치자 재빨리 숨는 최재수와 오택수, 그리고 한승연.

오늘 비번이라고 놀러 나온 것치곤 조합이 이상하다.

"여자네……. 애인이에요?"

"까분다. 간다."

"아, 오빠!"

종혁을 끌어안은 미진이 양 볼에 뽀뽀를 했다.

"히히. 잘 가요."

따악!

"냐아악!"

종혁은 이마를 붙잡고 주저앉는 미진을 향해 콧방귀를 껴 주고 몸을 돌렸다.

"미진아."

"네?"

"선은 넘지 마."
"……!"
카페를 빠져나온 종혁은 차 앞에 서며 입을 열었다.
"셋 셉니다. 하나, 둘……."
"끄응. 너 때문에 들켰잖아, 짜샤!"
"아니, 뭐 잘못만 하면 다 내 탓이에요!"
종혁은 오택수의 목에 걸린 카메라를 보고 눈을 빛냈다.
"그런데 여긴 어쩐 일이세요? 비번인데 안 쉬세요?"
"그러는 넌? 여자 친구야?"
"그냥 아는 동생이에요. 외국에서 일하는데, 오랜만에 한국 왔다고 잠깐 만난 것뿐입니다."
"그래? 그런 것치곤……."
종혁은 오택수의 시선이 닿은 양 볼을 문질렀다.
최재수는 한껏 부러운 시선을 보냈고, 한승연이 어색하게 웃으며 먼 산을 봤다.
"외국식 인사예요."
"누가 뭐래냐. 그럼 이제 시간 있겠네?"
"왜요?"
"상철이 사건 담당 형사 새끼가 갑자기 약속 있다고 팀원들과 점심을 못 먹는다고 하네? 뭔가 촉이 오지 않냐? 오늘 비번인 다른 식구들도……."
종혁의 가슴이 순간 울렁였다.
'그래. 이래야 경찰이지.'

그러나 종혁은 고개를 저었다.

"저도 그러고 싶은데 약속이 있어서요. 죄송합니다."

"야, 넌!"

상철이가 불쌍하지도 않냐는 눈빛에 종혁은 싱긋 웃었다.

"그럼 먼저 갑니다."

최재수는 멀어지는 종혁을 멍하니 바라보다 얼굴을 구겼다.

한승연의 눈에도 실망감이 맴돈다.

"씨발. 그래도 좋은 경찰…… 악!"

최재수의 입을 친 오택수는 눈을 가늘게 떴다.

'흠.'

"아, 왜 때리는데요? 내가 틀린 말 했어요?"

"시끄러워. 가자."

오택수는 이제 막 카페를 빠져나오는 미진을 눈에 담고는 몸을 돌렸다.

한편 마포구에 세워진 가출청소년 센터, 행복의 쉼터에 도착한 종혁은 최상층의 강의실로 향했다.

이 아래로 내려다보이는 세상을 거머쥘 욕심을 가지라는 의미로 최상층에 지어진 강의실.

웅성웅성.

삼, 사십대 중년인들과 이제 이십대나 됐을 법한 남녀가 흥분한 얼굴로 서로 대화를 나눈다. 행복의 쉼터에서 머물다 사회에 진출한 아이들과 이 아이들을 가르친 교사들이었다.

종혁은 맨 뒷자리에 앉아 그런 그들을 살폈다.

그때였다.

뚜벅뚜벅.

정장을 입은 삼십대 남성이 강단 옆문에서 걸어 나와 마이크를 잡았다.

"반갑습니다. 앞으로 여러분의 창업에 대한 모든 걸 지원할, 이곳 마포구에서 여러분들의 서포터가 될 권&박 홀딩스 창업지원부 과장 이정표입니다."

짝짝짝짝짝!

종혁도 박수를 쳤다.

한 쓰레기가 고급 레스토랑으로 부를 쌓았다면 그 옆에 중식 레스토랑을, 패밀리 레스토랑을, 연인이나 친구들과 쉽게 올 수 있는 파스타집을 세우면 되는 거다.

악의엔 악의로.

비즈니스엔 비즈니스로.

그쪽이 돈을 무기처럼 휘둘렀다면, 이쪽도 그러면 되는 거다.

아주 간단한 논리일 뿐이었다.

* * *

"……."

악의다.

이건 어떤 거대한 누군가가 지독한 악의로 자신들을 죽이려고 드는 거다.

그렇지 않고서는 이렇게 될 수가 없다.

의류 매장 옆에 의류 매장이.

레스토랑 맞은편에 레스토랑이.

술집 옆에 더 크고 세련된 술집이.

더 싸고, 더 세련된 인테리어.

이 모든 게 거의 비슷한 시기에 오픈을 해 그들의 목을 조르고 있다.

이걸 과연 우연이라고 치부할 수 있을까?

매일같이 마셔도 달았던 술이 오늘만큼은 독약보다 쓰게 느껴졌다.

"좀 어때요?"

"어떻긴요. 애들 월급 줄여 가면서 겨우 살고 있지."

"괜찮겠습니까?"

"흥. 지들을 써 주는 것만 해도 나한테 감사해야 되는 거 아닙니까? 안 그래요?"

"크큭. 그건 맞죠. 안 그래도 너무 주는 거 아닌가 싶었는데 잘됐죠."

사정이 어려워지면 인건비부터 줄여라.

그들로선 당연한 일이다.

솔직히 마음 같아선 조직적으로 대항하고 싶다. 상가번영회나 기자를 움직여 진입을 막고 싶다.

하지만 명분이 너무 좋다.

청년 창업. 정부에서도 장려하는 일이다.
돌아 버릴 일이다.
그들도 나름 대항은 해 봤다.
소방법, 위생 등.
하지만 구청에서 난색을 표하고 있다. 그들 뒤에 행복의 쉼터 재단이 있기 때문이다.
주민자치위원으로서의 힘이 통하지 않는 상대.
동사무소에 찾아가면 동장부터 허리 숙여 맞이하던 왕과 같았던 권력도 이번만큼은 통하지 않았다.
"회장님, 어떻게 방법이 없겠습니까?"
그들 모임의 회장, 박홍식.
고등학교에 진학한 자식들끼리 먼저 친구가 되면서 그들도 서로 단합하게 된 사이다.
이렇게 뭉친 지 고작 한 달도 되지 않았다.
"마포서장님께 부탁을 하면……."
"뭘로 걸고넘어질 건데요? 그들이 범죄를 저질렀습니까?"
"……."
"다들 술 마실 분위기가 아닌 것 같으니 일어들 납시다."
"회장님!"
"씁. 그만해요. 지금 가장 힘든 사람이 누군지 알고."
그제야 목소리를 높였던 사람이 입을 다문다.
박홍식은 순간 구겨질 뻔한 얼굴을 억지로 펴며 몸을

돌렸다.

'씨발. 너희가 나보다 힘들어? 어?'

대기업의 횡포. 소상공인을 망치는 외국 기업.

이렇게 기사를 써서라도 막고 싶다.

하지만 그렇게 되어 버리면 역풍을 너무 세게 맞는다. 유명 스포츠 브랜드들이 가만있지 않을 것이기 때문이다.

아니, 이젠 그런 기사를 쓸 기자 인맥도 없다.

'일평생 도움이 안 되는 놈!'

오늘만큼 하나뿐인 아들 서준이 싫은 적도 없었다.

"후. 어떻게든 서로 힘을 모아 이겨 내 봅시다. 나도 아는 인맥을 동원해 볼 테니 여러분도, 예? 우리 모임이 우리만 있는 게 아니잖습니까."

맞다. 이 모임에 참석은 하지 못했을 뿐이지, 그 왕따 사건에 연관된 학생이 많다.

자신들 때문에 처벌을 받지 않게 됐다고 감사 인사를 했던 그 학생들의 부모.

그들도 인맥이다.

'마포구 전역에 찢어져 살기에 힘을 모으기 힘들 거라 생각했는데, 그들이 연결 다리가 되어 준다면?'

그들의 입가에 미소가 번져 갔다.

그런 그들은 짐작조차 못했다. 그들이 생각지도 못한 곳에서 비수가 날아오고 있단 걸 말이다.

"반가워요, 여성천하 매니저님."

어두운 바.

미진이 사십대 중년인에게 손을 내민다.

“예, 안녕하십니까. 그런데 정말로…….”

“제가 어려 보이는 게 중요한가요?”

“아, 아닙니다!”

매니저는 다급히 고개를 저었다.

어려 보이건 실제로 어리건 그런 건 상관없다.

이곳 마포구에 세워지는 드바 로마노프의 매장을, 무려 7층짜리 거대 매장 서울 1호점의 점장이 되냐 안 되냐가 중요할 뿐이다.

눈앞에 있는 미진은 그걸 가능케 하는 존재.

미진은 고개를 숙이는 그를 보며 미소를 지었다.

“장부는 가져오셨나요?”

“여, 여기…….”

미진은 A4 뭉치를 쓱 훑고는 옆으로 치우며 다시 손을 내밀었다.

“앞으로 잘 부탁드려요, 유 점장님.”

“가, 감사합니다! 정말 감사합니다!”

고개를 끄덕인 그녀는 장부 사본을 들고 일어섰다.

“아, 그런데 제가 아무리 제의를 했다지만, 이렇게 선뜻 가져오신 이유를 물어도 될까요?”

“……우리 월급은 줄이면서 자기 차는 바꾸더군요. 그래서 더 충성할 이유가 없다고 생각했을 뿐입니다. 그러니…….”

"네. 직원은 점장님 마음대로 채용하세요. 그게 당신의 권한이니까. 다만 물의를 일으키는 사람은 안 돼요."

"옙!"

"계산은 했으니까 마음대로 먹고 가세요."

미진은 차키를 흔들며 밖으로 향했고, 이제 점장이 된 그는 그런 미진을 보며 혀를 내둘렀다.

"재벌집 딸인가?"

한편 밖으로 나와 차에 탄 미진은 장부를 훑어보고 피식 웃었다.

"오빠가 좋아해 주면 좋겠네."

그녀 본인에게도 좋은 일이지만, 종혁에게도 좋은 일.

종혁에겐 이게 실적이다.

"이렇게 천천히 갚아 갈게요, 오빠."

싱긋 웃은 그녀는 차를 출발시켰다.

* * *

부우웅!

가끔 사이렌을 울리는 경찰차가 느릿하게 번화가를 순찰한다.

대낮인데도 사람들로 가득한 거리.

여기저기서 흥겨운 음악에 맞춰 풍선 인형이 몸을 흔들고, 여기저기가 짧은 옷차림의 나레이터들이 새로 오픈한 가게들을 홍보한다.

“어후. 요새 동네가 시끌시끌하네.”

운전대를 잡은 오십대 경위가 흐뭇하게 웃는다.

홍익파출소에서만 무려 15년 넘게 근무한 그.

고향 같은 곳이 활기차지는데 기분이 나쁠 리 없었다.

“그러게요.”

지이잉!

“아, 잠시만요.”

“받아, 받아.”

종혁은 핸드폰 폴더를 열었다.

“예, 삼촌.”

—종혁아! 나 너희 동네 왔는데, 여기로 좀 와라.

“왜요?”

—그 왜는 네가 잘 알지 않을까? 이놈의 시끼야?

“……푸흐. 알겠습니다. 곧 갈게요.”

전화를 끊은 종혁은 어리둥절해하고 있는 경위를 봤다.

“이 경위님, 박홍식 씨 검거되는 모습 구경하러 갈래요?”

“……박홍식? 염상철 괴롭힌 그 박서준이란 자식 애비?”

이 동네의 주민자치위원장이기도 한 인물이다.

“네. 탈세에 횡령, 뭐 기타 등등이라네요.”

순간 멍해졌던 경위의 입가에 흐뭇한 미소가 맴돈다.

“어이쿠야. 그런 구경거리는 돈을 내서라도 봐야지. 택수도 부를까? 어딘데?”

“요 앞이요. 여성천하.”

곧바로 경찰차는 느릿하게 인파를 헤치며 나아갔다.

* * *

"이 개놈의 쉬키."

여성천하 앞에 선 김종두 과장이 손을 부르르 떤다.

꼭 잊을 만하면 사건을 던지는 종혁.

세상에서 제일 예쁘지만, 이렇게 모른 척 던질 땐 가끔 얄밉다. 꼭 이용당하는 것 같아서.

"흐흐흐."

피식 웃은 김종두 과장은 수갑을 던졌다.

"네가 해. 너도 이제 경찰이잖아."

"오?"

김종두 과장은 종혁에게 얼굴을 들이밀었다.

"그런데 왜 너희 서에 안 맡기고 나한테 던진 거야?"

"파 보면 아실 거예요. 마포구 대장이 얽혔거든요."

"……니미럴. 이거 줄다리기하겠네."

마포경찰서 관할의 사건이니 마포경찰서가 항의해 올 게 분명했다. 정확히는 찔리는 게 있는 마포서장이 미친 듯 달려들 거다.

혐의가 인정되기 전까지는 경찰서장인 그.

김종두 과장은 그걸 걱정하고 있었지만 쓸데없는 걱정이었다.

'그럴 일은 없을 겁니다.'

"어휴. 가, 이 시키야."

웃음을 참은 종혁은 방금 도착한 오택수와 최재수를 향해 손짓을 했다.

움칫움칫 다가온 둘은 의아해했다.

"가시죠. 박홍식 씨 잡으러."

"우리가?"

"수갑 채우게 해 주신데요. 여기 특수 과장님이. 서로 인사는 나중에 하시고 올라갑시다!"

종혁은 둘을 뒤에 달고 계단을 올랐다.

그렇게 도착한 옥상 사무실.

종혁은 문 손잡이를 잡았다.

덜컥덜컥!

"박홍식 씨! 경찰입니다. 안에 계신 거 아니까 문 좀 열어 주시죠."

하지만 조용하다.

한숨을 내쉰 종혁은 뒤로 한발 물러나 그대로 문을 발로 차 버렸다.

꽈아앙!

"힉!"

핸드폰을 든 채 굳어 버린 박홍식.

"어이쿠. 계셨으면 말을 하시지."

짓궂게 웃던 종혁의 눈빛이 싸늘해졌다.

그는 수갑과 함께 넘겨받은 체포영장을 펼쳤다.

"박홍식 씨, 지금부터 당신을……."

종혁이 죄목을 차례차례 읊어 내자, 박홍식은 미친 듯

날뛰기 시작했다.

"씨발! 증거 있어? 증거 있냐고. 나와! 비켜!"

종혁은 어떻게든 도망치려는 듯 몸을 밀치려는 팔을 잡고 그대로 업어쳐 버렸다.

부웅! 쿠웅!

"컥?!"

"어후."

"와. 속 시원해."

오택수와 최재수의 감탄을 무시한 종혁은 고통에 몸부림치는 박홍식을 향해 이를 드러냈다.

"공무집행방해죄 추가입니다. 박홍식발놈님아."

'기대해. 이제부터, 당신부터 시작이니까.'

"악! 놔! 놔아! 이 새끼들! 내가 누군지 알아?! 내가 어제도 너희 서장이랑 밥도 먹고!"

"네, 네. 저희 마포서 경찰 아닙니다. 그러니 닥치고 들어가, 이 범죄자 새끼야."

종혁은 관용차에 올라타는 박홍식과 그의 사무실에서 찾은 장부를 보며 핸드폰을 들었다.

"네, 박 기자님. 지금 터트리시면 됩니다."

이제 드디어 때가 됐다.

* * *

"야! 남의 동네에 와서 이게 무슨 짓이야?"

마포경찰서 서장의 얼굴이 일그러졌다.

오늘 낮 박홍식이 본청 특수범죄수사대에 잡혀 갔다.

잡혀간 것까진 문제가 안 된다.

문제는 장부다.

박홍식은 탈세와 횡령 등으로 체포 영장을 발부받아 잡혀 갔다. 장부가 무조건 존재한다는 소리다.

그 안에 어떤 게 적혀 있을지 모르는 장부.

'만약 그 안에 내 이름이 적혀 있다면?'

장부를 확보했는지조차 파악되지 않은 상황.

하지만 장부를 언급해서 의심의 여지를 줄 순 없다.

박홍식과 통화라도 되면 좋으련만 그사이에 꺼져 버렸는지 통화가 되지 않는다. 서장은 찜질방에 다녀온다고 핸드폰을 꺼 놨던 게 이렇게 한스러울 수 없었다.

잡혀간 지 벌써 4시간.

상황이 급박했다.

–어이구. 이해 좀 주십시오. 저희도 먹고살아야죠.

"이해? 개소리 말고, 포장한 그대로 데려다 놔. 그분이 누군지 알고 잡아가?

–범죄자 새끼죠. 그것도 털 게 아주 많은.

'이 새끼?'

뒷말이 무척 의미심장하게 들린다.

–그리고 애써 출장 나갔는데 저희도 건지는 건 있어야죠.

"그 출장비 내가 보전해 줄 테니까 가져다 놓으라고!

내 체면 세워 주면 정말 크게 보답한다."

—흐음. 에이, 됐습니다. 보답 안 받을게요. 끊습니다.

"야! 야—!"

달칵!

서장은 다시 전화를 걸었다.

뚜, 뚜, 뚜.

"이 개새끼들이!"

씩씩거리던 그는 얼른 서랍에서 수첩을 빼 들어 박종명의 전화번호를 찾았다.

박종명 서장에게 엄청난 욕을 먹겠지만, 그의 힘을 빌려서라도 반드시 박홍식을 빼 와야만 했다.

"씨발! 내가 그걸 왜 먹어서!"

이렇게 똥줄 탈 줄 알았다면 절대 사건을 덮지 않았을 거다.

그때였다.

쾅!

"서, 서장님!"

염상철 전따 사건의 담당 형사인 박 경위다.

"노크는 어디다……."

촤악!

서장은 박경위가 펼치는 석간신문을 보며 하얗게 질렸다.

명문 청일고의 추악한 실체!

청일고 전따 사건! 관할 경찰서도 한통속?

"이, 이게? 이게 어떻게 된 일이야-!"

"저, 저도 잘……."

똑똑!

고개를 돌린 둘은 하얗게 질렸다.

정장을 입은 호리호리한 몸매, 안경을 낀 중년인들.

"어이구. 마침 둘 다 계시네. 반갑습니다, 서장님. 본청에서 나왔습니다. 저희와 함께 가시죠?"

'자, 장부에 내 이름이…….'

있었다.

그렇지 않다면 본청 감찰과가 이렇게 빨리 올 리가 없었다.

다리에 힘이 풀린 그는 주저앉았다.

* * *

한 학생을 왕따시킨 300여명의 악마들!

외면한 선생들! 선생자격상실! 교육부는 뭐하나!

왕따를 주도한 재력가 집안의 자식들!

마포구에서 의류 사업을 크게 하는 박 모 씨. 탈세의 혹?

박 모 씨가 끝이 아니다! 사건을 덮으려던 악마의 부모들!

대한민국이 뒤집어졌다.

전교생이 학생 한 명을 왕따시킨 것도 모자라 선생들은 그걸 외면했고, 경찰은 피해 학생이 아닌 가해 학생들을 감싸다 못해 사건을 묻었다.

경악스럽고도 끔찍한 상황에 국민들은 분노를 터트렸다.

“엄마, 나 학교 안 가면 안 돼? 이런 상황에서 어떻게 학교를 가! 아빠도 감옥 간다며!”

“넌 돈 있는 사람이 감옥 가는 거 봤니? 아빠 곧 나올 거니까 헛소리 말고 가.”

“하지만 애들이……!”

학교에서 왕처럼 군림할 수 있었던 권력이 흔들렸다.

지금까지 짓눌려 있던 아이들이 이를 드러낼 터.

천지분간 못하고 날뛰던 박서준이라도 그 정도 상황 파악은 할 줄 알았다.

“어차피 며칠이야. 아빠 나오면 다 정상으로 돌아갈 거야. 너 그때 무단결석했다고 아빠한테 들키면 어쩔 거야?”

혼난다.

아빠는 힘들었는데, 넌 또 놀았냐며 또 뺨을 맞을지 몰랐다.

“이럴 때일수록 아빠한테 힘이 되어 줘야지.”

‘아닌데. 지금 가면 안 되는데…….’

하지만 엄마의 눈빛이 믿음으로 가득 차 있다.

살림만 하는 어머니지만 어른, 그리고 엄마.

믿을 수밖에 없다.

“아빠 인맥뿐만 아니라 엄마도 인맥을 다 동원하고 있으니까 걱정하지 마. 알았어, 아들?”

“으, 응.”

“그리고 너 학교 끝나면 그 염상철? 걔한테 사과하러 갈 거니까 그렇게 알아. 사과하는 시늉은 해야지.”

“아, 응!”

“들어가.”

톡톡 박서준의 엉덩이를 때린 그녀는 차를 몰아 떠났고, 입술을 깨문 박서준은 학교 건물 안으로 걸음을 옮겼다.

웅성웅성…….

“야.”

“저 새끼 때문에…….”

복도에 서 있던 학생들의 눈이 빨개진다.

오늘 아침 신문을 본 아버지들에게 너도 이걸 했냐며, 했다면 오늘 저녁 각오하란 엄포를 듣고 나온 그들.

흉악하게 일그러진 아버지의 얼굴은 공포 그 자체였다.

“뭘 봐! 구경났어?!”

우르르!

복도에 서 있던 학생들이 반으로 들어간다.

평소처럼 눈치를 보며 들어가는 게 아니다. 눈을 흘기며 들어간다.

평소 같았으면 꿈도 못 꿨을 일.

벌써부터 권력이 흔들리고 있다.

빠드득!

박서준은 1학년 4반의 문을 열었다.

드륵! 쾅!

"서준아!"

"박서준!"

친구들보다 몰려들었던 시선이 적의를 머금으며 다시 돌아가는 게 더 먼저 들어온다.

입술을 깨문 그는 친구들에게로 향했다.

같은 반, 그리고 다른 반에서 온 친구들.

"야, 우리 어떡해? 이러다 좆되는 거 아냐?"

"씨발. 어떻게 이런 상황에 학교에 가라고 하냐? 너도 어떻게 왔다?"

"몰라. 엄마가 가래……."

박서준은 입을 다물었다.

수군수군.

반 전체가 그를 보며 수군거리고 있다.

짜증이 솟구친 그는 악을 질렀다.

"야, 할 말 있으면 와서 해 봐! 내 면상에 대고 지껄여 보라고!"

순간 조용해지는 교실.

박서준은 콧방귀를 꼈다.

어차피 이런 놈들이다. 강자에겐 한마디도 못하는 찌질이들.

"아, 씨발 존나 시끄럽네-!"

"……김승광, 너!"

옆 반에서 놀러 온 1학년 일진짱 김승광.

"시끄럽다고, 싸발년아."

슬렁슬렁 다가온 김승광이 박서준 앞에 선다.

"왔다. 이제부터 시작하면 되냐?"

"야, 너 정말 죽고……."

짜악!

박서준은 눈을 껌뻑였다.

'내가 맞았…….'

하지만 그가 정신을 차릴 새도 없이 김승광은 반대쪽 뺨을 때리고 가슴을 걷어찼다.

짜아악! 퍽! 쿠당탕!

"야! 김승광!"

"너도 처맞기 싫으면 아가리 싸물어."

서준의 친구들도 입을 다물면서 반이 완전히 조용해졌다.

김승광은 얼어붙어 있는 박서준의 볼을 톡톡 쳤다.

"야, 너희 아빠 깜빵 간다며. 근데 뭘 믿고 그렇게 나대냐? 내가 정말 너희가 무서워서 가만있었는지 아냐?"

"너…… 너."

"눈 깔아, 씨발놈아."

덜컥 심장이 내려앉고 사타구니가 저릿해진다.

박서준은 슬그머니 시선을 돌렸다.

"그래. 앞으로 그렇게 눈 깔고 다녀. 뒤지기 싫으면."

히죽 웃은 김승광은 몸을 일으켜 박서준의 친구들에게 다가갔다. 그리고 한 놈의 뺨을 후려쳤다.

폭력의 공포가 1학년 4반에 내려앉았다.

김승광은 그제야 자신이 원하던 분위기, 청일고 1학년 짱이 되면서부터 원했던 분위기가 형성되자 가슴이 터질 것 같았다.

"야, 너희 부모들도 곧 망한다며? 내일부터 기대해. 너희도 염상철처럼 옥상에 서게 만들어 줄 테니까."

철렁!

누군가는 휘청이고, 누군가는 오줌을 지렸다.

"오, 씨발. 쌌다. 야, 얘 오줌 쌌어! 푸하하하하!"

"흑!"

진짜 폭력. 그들은 그걸 견딜 수 없었다.

띵동 띵동 띵동 댕동!

"오. 종이 살렸네. 이따가 또 보자?"

김승광이 나가자 다른 반 친구들도 머뭇거리다 떠났다.

그제야 다시 책상에 앉은 박서준은 부들부들 떨었다.

"씨발. 씨발……."

"풋!"

움찔!

"야, 저 새끼 운다."

"크크큭. 꼴 좋네."

고개를 번쩍 든 박서준은 충격을 받았다.

적의가 아니다. 약자를 멸시하고 잡아먹으려는 눈빛들이다.

방금처럼 화가 나기보다 숨이 탁 막혔다.

심장이 옥죄어 지고, 앞으로 벌어질 일들에 두려움이 치솟았다.

'내, 내가 염상철처럼 된다고? 저, 정말? 나, 난 장난이었는데?'

박서준 본인은 장난이었다. 하지만 저들은 장난이 아니다.

'장난이었던 염상철도 뛰어내렸는데, 나는 버틸 수 있을까?'

드르륵!

"자자, 조용."

'선생님!'

박서준은 다급히 도움을 구하기 위해 담임을 봤다가 충격을 받았다. 눈이 마주치자 고개를 돌려 버리는 담임.

'아…….'

그는 눈앞이 까맣게 물드는 경험을 했다.

똑똑똑! 드르륵!

문이 열리자 모두가 눈을 부릅떴다.

경찰이었다.

"겨, 경찰분께서 여긴 왜?"

종혁은 당황하는 선생을 향해 씩 웃어 줬다.

"아, 수고하십니다. 박서준 학생과 조동혁, 서혜정 학생을 체포하러 왔는데…… 아, 저기들 있네요."

"체, 체포요?!"

종혁은 박서준에게 다가갔다.

왠지 안심하는 그의 표정.

주위를 슥 둘러본 종혁은 대번에 상황을 파악했다.

맞은 듯 벌겋게 달아오른 볼이나 발자국이 남은 상의.

파악을 하지 못할 수가 없었다.

"내가 무슨 일로 왔는지 알지?"

"네, 네! 저 잡으러 오셨죠? 얼른 잡아가 주세요!"

"어이쿠야. 뭐가 이렇게 급해. 그래도 협조해 주니 고맙네."

종혁은 내밀어진 양손에 수갑을 채우며 박서준의 귀에 입을 가져갔다.

"힘들었냐? 근데 상철이는 그보다 더 힘들었어. 너보다 백만 배, 천만 배 더 힘들었다고, 이 개새끼야."

"다, 당신?"

"지금 체포되면 끝일 것 같지? 아니야. 이제부터가 진짜 시작이야. 학교는 니들 꼬꼬마들의 놀이터일 뿐이었단 걸 정말 깊게 깨닫게 될 거야. 앞으로 참 즐겁겠지, 서준아?"

종혁은 파랗게 질리는 박서준에게 나머지 절차를 밟았다. 다른 주동자들도.

그리고 비웃고 안심하는 학생들을 보며 입술을 비틀었다.

종혁은 가까이 있는 학생의 가슴을 살폈다.

"이름이 이철수? 한 순경, 이철수 거 줘 봐."

"네, 경위님!"

다가온 한승연이 들고 온 종이백에서 봉투 뭉치를 꺼냈다.

"여기 있습니다."

"땡큐."

종혁은 어리둥절해하는 이철수에게 봉투를 내밀었다.

"뭘 처웃고 있니. 너도 용의자인데. 아니, 너뿐만 아니라 4반 전체가 용의자란다, 철수야?"

"네, 네?"

"이게 소환장이라는 거거든? 이 아저씨가 경찰서까지 가서 직접 받아 온 거니까 잘 가지고 있다가 날짜에 맞춰 부모님과 함께 경찰서로 오렴. 알았지? 한 순경, 찍어."

찰칵!

한승연은 소환장을 전달했다는 증거를 남겼고, 교실에 폭탄이 떨어졌다.

하지만 여기서 끝이 아니었다.

"이, 이게 무슨 짓입니까!"

종혁은 다급히 다가온 담임을 싸늘히 봤다.

"담임이시죠? 당신도 나오세요. 선생이 제자가 괴롭힘을 당하는데 제자를 보호하지 못할망정 묵인하고 방조하셨네요, 개새끼야?"

"아, 아니, 난……."

이, 이게 뭐야!

나, 난 아니야-!

다른 반들에서 터져 나오는 동료 선생들의 비명.

종혁은 이제야 상황을 파악했는지 두려움에 물드는 선생을 향해 이를 드러냈다.

"이제 인생 좆됐다는 게 느껴지지? 내가 당신 인생 완전 좆되게 만들어 줄게."

* * *

청일고 1학년 전교생 검거!

발 빠른 경찰! 확실한 처벌까지 이어지나?

이제 바톤은 검찰에게로?

"아니, 내가 만나고 싶다는데 왜 못 만나게 하는데!"

"원장 나오라고 해! 병원장 어디 있어!"

거대한 병원 로비, VVIP 병동 전용 엘리베이터 앞이 시끄럽다.

2층에 선 종혁은 어떻게든 엘리베이터를 타려 하지만 경비들을 뚫지 못하는 청일고 1학년 학부모들을 비웃으며 옆에 서 있는 염상철의 등을 툭툭 두드렸다.

"어때?"

"……신기해요."

저 많은 사람들이 자신을 보러 왔다는 게.

꼭 자신이 뭐라도 된 것 같아서.

"이게 진실의 힘이야."

"진실……."

무슨 생각을 하는지 아래를 가만히 응시하던 상철은 종혁에게 허리를 깊게 숙였다.

"감사합니다. 정말……."

옥상에서 구해 줘서 고맙고, 약속을 지켜 줘서 고맙다.

퇴원하기 전에 모두 해결해 줄 거라는 약속.

종혁은 이곳 대형병원의 VVIP 병실로 옮겨 준 것도 모자라 약속까지 지켜 줬다.

하지만 정말 고마운 건 다시 사람을 믿을 수 있게 해 준 점이다.

종혁은 밝게 웃는 상철의 머리를 헤집었다.

"이제 좀 살아갈 용기가 나?"

"네!"

"그럼 됐다. 으으-! 그럼 아저씨는 이만 일하러 갈 테니까 놀고 싶을 만큼 놀다가 퇴원해. 이럴 때 쉬지 언제 쉬겠냐?"

"아저씨!"

돌아서던 종혁은 잠시 멈춰 섰다.

"꼭 학교에 다시 가는 것만이 정답은 아니야."

"예?"

"간다."

등을 보인 채 손을 흔든 종혁은 계단을 내려갔고, 상철의 시선은 그런 종혁을 따라붙었다.

–경찰 아저씨! 여기예요, 여기!

–저 여기 관할 아닙니다. 따로 신고하세요.

“푸핫!”

정말 웃긴 아저씨다.

하지만 너무 멋진 아저씨다.

“나도 저런 어른이 될 수 있을까?”

아니, 저런 어른이 되고 싶다.

힘든 사람이 보이면 도와줄 수 있는 그런 어른이.

조금 더 지켜보던 상철은 몸을 돌렸다.

그의 걸음은 무척이나 가벼웠다.

* * *

“건배–!”

째재쟁!

“크아–!”

“아흐으! 좋다!”

마음의 짐을 내려놓은 홍익파출소 경찰들이 시원한 소맥 한 잔에 온몸을 부르르 떤다.

“와. 학년 전체가 기소가 되긴 하는구나.”

“난 서장님이 관련됐다는 거에 충격.”

“담당 형사 그 씨벌놈.”

“난 그보다 놀라운 게 기사야.”

"맞아. 진짜 어떻게 그렇게 타이밍 딱딱 맞춰서 터져 주지?"

홍익파출소 최대의 실적.

아니, 전국 파출소를 뒤져 봐도 이런 실적을 올린 곳이 있을까.

이에 상부는 끝까지 경찰이 해야 될 일을 한, 처음 염상철을 구하고 모든 증거를 모아 제출한 홍익파출소에게 경찰의 모범이라며 표창장과 상여금을 수여하기로 했다.

절로 어깨춤이 나올 수밖에 없었다.

"어떻게, 음식들은 입에 좀 맞으세요?"

"어이구. 저희가 어디서 이런 걸 먹어 보겠습니까."

스테이크에 파스타, 랍스타 등 온갖 서양 요리들이 가득한 테이블.

이곳은 이번에 오픈한 패밀리 레스토랑이었다.

"그보다 이렇게 가게를 전세 내도 괜찮은 겁니까?"

"불철주야 노력하시는 경찰분들을 위해 이 정도는 해 드려야죠. 맛있게 드시고 힘내셔서 그 학생 같은 피해자가 생기지만 않게 해 주세요!"

"어이구. 허허허."

장철호 소장뿐만 아니라 다른 경찰들도 어깨가 펴진다.

야근은 기본이고, 온갖 진상 민원과 사건사고에 지치고 힘들어 하루에도 몇 번씩 사표를 생각하는 경찰.

그래도 이렇게 지지해 주는 분들을 볼 때마다 경찰도 할 만하다는 생각이 든다. 이게 내 천직이다라는 생각이.

자부심이 들어차는 얼굴들을 스윽 둘러본 종혁은 피식 웃으며 밖으로 향했다.

웅성웅성.

오늘도 아무 걱정 없이 거리를 걷는 사람들.

이게 자신들 경찰 덕분이라 생각하면 없던 사명감도 생긴다.

찰칵! 치이익!

"후우우."

"야, 나도."

"담배 좀 사서 피우세요."

"돈도 많은 새끼가."

혀를 찬 종혁은 오택수에게 담배를 내밀었다.

찰칵! 치이익!

"푸후우."

둘은 말없이 담배를 빨았다.

행복하게 걷는 사람들을 보자니 굳이 말이 필요 없었다.

"야, 너지?"

"뭐가요?"

"드바 로마노프. 에바 미진 킴."

종혁은 오택수를 봤다.

"여기 이 가게도, 이번에 마포구에 오픈한 가게 전부도 너 맞지? 신문 기사들도, 그 장부도!"

확신을 가진 눈빛.

하지만 어떻게 그게 가능하냐는 경악도 함께 섞여 있다.

"너 대체 정체가 뭐냐? 돈이 대체 얼마나……."

"오 경위님."

"왜?"

"나랑 본청 갈래요?"

"……!"

종혁은 흔들리는 그의 눈을 보며 씩 웃었다.

이제 온전한 내 사람을 가져야 할 때가 온 것 같았다.

* * *

염상철 사건이 마무리되자 파출소는 언제 그랬냐는 듯 평소와 같아졌다.

아니, 애초부터 변하지는 않았다. 다만 퇴근 후, 그리고 쉬는 날에 바빴을 뿐이다.

"예. 거기는요. 밖으로 나가셔서 저기로 쭈욱-!"

"이거 저희 주사님이 가져다주라고 해서 왔는데요."

"아, 동사무소 공익? 주민등록 자료지? 이리로 줘."

어느덧 6월.

날이 슬슬 더워지고 있음에도 선풍기조차 꺼내지 못해 구슬땀을 흘리며 업무에 매진하는 경찰들.

이제 좀 있으면 파출소도 여름이다.

"순찰 다녀오겠습니다."

"어, 수고."

쿠당탕!

순찰 나갈 준비를 하던 경찰들과 다른 경찰들이 파출소 입구를 본다.

등 뒤로 수갑을 찬 채 땅바닥을 구르는 웬 남성.

그 뒤로…….

“악! 놔! 안 놔?!”

종혁이 웬 어린 여성과 삼십대 남성의 머리채를 잡은 채 들어온다.

“갠 뭐냐?”

“원조교제 및 몰카범? 얘들은 원조교제 집단이요.”

딱 봐도 어린애랑 모텔에 들어가기에 현장을 덮쳐 잡아 왔다.

그런데 핸드폰에 몰카 사진이 가득이었다.

“……그래. 우리 동네 치안은 네가 다 지켜라.”

순찰을 나갔다 하면 꼭 범죄자 한 명씩을 잡아 오는 종혁.

그의 뒤로 나이 많은 경위, 박 경위가 미소 가득한 얼굴로 십대 후반 청년을 밀며 들어온다.

종혁과 같은 순찰조인 박 경위.

종혁과 함께 있으면 실적이 알아서 들어오니 웃음이 나오지 않을 수 없다.

“최 경위는 수고했으니까 올라가서 쉬어. 나머진 내가 할게.”

“아니, 제가…….”

“괜찮아. 내가 하고 싶어서 그래.”

"……예, 그럼."

목을 긁은 종혁은 2층 숙직실로 향했다.

움찔!

"끄으. 으으."

남녀가 따로 분리되어 좀 좁아진 숙직실.

최재수가 그 중앙에서 원산폭격을 하고 있고, 오택수는 심란한 얼굴로 담배를 피우고 있다.

"또 뭔 사고를 친 거예요?"

"내 컴퓨터에 커피 엎었어. 본체에다가. ……펑 터지데? 아니, 어떻게 자빠지는데 책상 아래 놔둔 본체에다가 엎을 수 있지?"

"아."

그렇다면 이럴 만했다.

컴퓨터 가격이 문제가 아니다. 그 안에 들어 있던 자료들이 문제다.

'역시 착하다니까.'

종혁이 이런 일을 당했다면 반 죽여 놨을 것이다.

"내 사건 자료들 어쩔 거야. 내 승진 시험 자료들 어쩔 거야–!"

"죄, 죄송합니다! 제, 제가 어떻게든……!"

"어떻게? 어떻게!"

고개를 저은 종혁은 남자 숙직실에 설치된 컴퓨터들 중 하나의 앞에 앉았다.

파출소 인터넷과 별도로 설치한 인터넷.

종혁은 편안하고 쾌적한 숙직을 위해 컴퓨터들과 인터넷 외에도 침대나 냉장고 등 여러 개를 들여놓았다.

"어후, 씨발. 왜? 게임하게?"

벌이 끝났는지 최재수도 쭈뼛거리며 다가온다.

'가만 보면 이놈도 참 근성 있어.'

이렇게 혼이 나는데도 오택수 곁에 붙어 있는 걸 보면 최재수도 정상은 아니다.

"아니요. 채팅이요."

"여자 사귀게? 넌 그런 거 없어도 만날 수 있지 않아?"

"그냥 취미 맞는 사람들끼리도 채팅하는 거예요. 동호회 같은 거죠."

"아, 그래? 혹시 낚시 동호회도 있어?"

"많죠. 알려 드려요?"

"어."

종혁은 옆자리를 가리켰고, 그동안 같이 낚시 갈 사람이 없었던 오택수는 확 밝아진 얼굴로 냉큼 앉았다.

"여기 채팅 목록 보시면……."

"오우! 올드 팝!"

"이렇게 라디오처럼 방송을 하는 애들도 있어요."

"미쳤네."

"이런 채팅 사이트뿐만 아니라 에이버 블로그나 넥스트 카페에 가면 이런 동호회들 많아요. 번개팅도 많이 하고요."

"진짜 미쳤네. 난 왜 그동안 이런 걸 몰랐지?"

오택수는 모니터 안으로 들어가려는 듯 고개를 쭉 내밀며 마우스를 클릭했고, 눈치를 보던 최재수는 슬그머니 그 옆자리에 앉아 별들의 전쟁 게임을 켰다.

빠악!

"넌 가서 일해, 새끼야. 확 씨, 그냥."

"아니, 자기들만 쉬려고 해……."

"안 나갈 거면 저기서 대가리 박고 있든가."

"충성!"

뛰어나가는 최재수를 보며 동시에 고개를 저은 둘은 다시 모니터를 봤다.

"와, 진짜 미쳤네. 헉! 갯바위?"

종혁은 완전히 몰입한 그에게서 시선을 돌리며 채팅사이트의 사람 찾기 버튼을 눌렀다.

탁 타탁 탁! 달칵!

검색결과 없음.

'쯧. 아직인가?'

놈의 아이디가 검색되지 않는다.

혀를 찬 종혁은 채팅 사이트를 끄고 핸드폰을 열었다.

-알러뷰 돌에서 신제품이 나왔습니다. 이에 설명회를 열려고 하니, 투자자 여러분들께서는…….

'달링 알러뷰'로 선풍적인 인기를 모았던 인형을 제작한 봉제회사 알러뷰 돌.

권&박 홀딩스에서 보낸 장문의 문자 메시지에 종혁은 고개를 끄덕였다.

'드디어 나왔나.'

옅게 웃은 종혁은 에이버를 켰다. 회귀한 직후와는 비교도 할 수 없이 좋아진 포털 사이트.

종혁은 인터넷 서핑을 시작했다.

* * *

주말 저녁이 되자 종혁은 정장을 차려입고, 권&박 홀딩스가 제품 설명회를 여는 5성급 호텔로 향했다.

"이야, 역시 있는 놈들 사는 세상은 다르구나."

종혁은 보조석에 앉은 오택수를 봤다.

며칠 전 왔던 문자를 보고 '나도 갈 수 있겠냐'고 물어 온 그의 얼굴이 기대감으로 가득 차 있다.

"있는 놈들은 무슨. VVIP도 아니고."

"VVIP?"

"VVIP는 이런 설명회에 참석 안 해요."

정체가 들통날 수 있기에 참석 안 한다.

사촌이 땅을 사면 배가 아픈 게 사람의 이치.

이들은 권&박 홀딩스 측에서 보내는 카탈로그를 통해 투자를 할지 말지를 결정 한다.

즉, 오늘 참석하는 건 VIP급 이하 회원들.

권&박 홀딩스에 30억원 이하의 자산을 맡긴 회원들이 대상이다.

"넌 씨바 30억이 뉘집 애 이름이냐?"

“이 동네에선 눠집 애 이름 맞아요.”

“…….”

슬쩍 기가 죽은 오택수는 입을 다물었고, 킥킥 웃은 종혁은 호텔 안으로 진입했다.

1인 동반 초대장을 보여 주고 들어선 연회장.

웅성웅성.

VIP 이하 회원들을 대상으로 한 설명회라서 그런지 사람들이 굉장히 많다.

그에 오택수의 눈이 돌아간다.

‘어? 저 양반은? 또 저기 저 양반은?’

교수나 방송국 PD 등 그도 얼굴을 아는 이들이 중간중간 섞여 있었다.

“여기야! 여기!”

한 손에 와인이나 샴페인 따위를 든 채 돌아다니는 백여 명의 사람들 가운데 있던 강철선이 종혁을 발견하고 손을 흔들었다.

종혁은 냉큼 그에게로 향했다.

“와, 이리 얼굴 보기가 힘드노. 니 서운하게 이럴끼가?”

종혁은 머리를 긁었다.

“죄송해요. 저도 일이 바빠서.”

“글나? 파출소가 그리 힘드나?”

“말해 뭐해요. 어후.”

강철선은 욕본다며 어깨를 두드렸다.

“근데 이쪽 분은?”

"저희 파출소 오택수 경위님이요. 오 경위 님, 인사하세요. 이쪽은 중앙지검 형사 3부장 강철선 검사님이세요."

눈을 부릅뜬 오택수가 얼른 손을 내밀었다.

강철선의 이름은 그도 많이 들었다.

중앙지검 차기 특수부장에 가장 유력한 검사.

"오택수입니다."

"반갑습니데이. 강철선이라예. 오다가다 만나믄 인사합시데이. 그라고 이쪽은 우리 대장님. 종혁이 닌 처음 보는 거 아니제?"

"그럼요."

이 냉랭한 인상을 잊을 리가 없다.

종혁은 강철선 옆에 선 중년인을 향해 고개를 숙였다.

"검사장이 되셨다는 말은 들었습니다. 늦었지만 축하드립니다, 중수부장님. 아니, 중앙지검 검사장님."

안경 속 중앙지검 검사장의 매서운 눈이 빛난다.

"오랜만입니다, 최 선수. 아니, 최 경위라고 불러야겠군요. 그때 보낸 선물은 지금도 잘 아끼고 있습니다."

그가 검사장이 되자 종혁은 축하 선물로 난을 보냈었다.

'이 양반도 회원이었나.'

회원 유치 및 관리에 대핸 권아영에게 모두 맡겨 놓은 터라 신경 쓰지 않았는데, 이번 설명회가 끝나면 아무래도 회원 명단을 훑어봐야 할 듯했다.

"그래 주신다니 선물한 보람이 있는 것 같네요."

"최 경위가 우리 검찰에 왔다면 더 좋은 선물이 됐을 텐데……."

"아하하."

검사장은 피식 웃다가 눈을 가늘게 떴다.

"그보다 최 경위를 이런 자리에서 볼 줄은 몰랐습니다."

이제 막 학교를 졸업한 24살인 종혁이 무슨 돈이 있어 투자를 했느냐는 말을 돌려서 표현하고 있었다.

그에 종혁은 서둘러 진실을 섞어 포장했다.

"친구 이모께서 이곳의 권아영 이사님이신데, 그 소개를 받아 어머니께서 투자를 조금 하셨었습니다. 저도 따라서 조금 돈 좀 넣어 봤고요. 덕분에 개천을 탈출할 수 있었죠."

"운도 능력이죠. 후후."

검사장은 낮게 웃으며 종혁을 빤히 살폈다.

'권&박 홀딩스의 초기 투자자.'

종혁에 대한 깊은 관심이 있었던 검사장은 이미 그와 관련된 내용을 이미 파악해 둔 지 오래였다.

외환위기로 대한민국이 휘청일 때 등장한 권&박 홀딩스.

종혁의 모친 고정숙은 권&박 홀딩스가 창립한 동시에 투자를 한 창립 멤버나 다름없었다.

문제는 그 돈의 대부분이 아들의 합의금이라는 점이다.

'혼자 아들을 키우던 여자가 느닷없이 전 재산을 함부

로 투자한다? 그것도 아들의 합의금으로?'

말이 안 된다.

그런 사람이 있을지도 모르겠지만, 그가 알아본 고정숙은 결코 아들의 돈을 함부로 손댈 인물이 아니었다.

'그 투자는 이 친구가 결정한 걸 거야.'

마치 대오각성을 한 듯 17살부터 남다른 행보를 보여준 종혁.

또 그 견식은 얼마나 좋던가.

흥미가 생길 수밖에 없었다.

아니, 흥미는 이전부터 있었다. 그동안은 종혁이 사회에 진출하지 않아서 내색을 못했을 뿐이다.

"언제 밥 한번 먹죠. 감사 인사도 해야 되고."

"감사 인사요? ……제게요?"

"할 이야기가 제법 많습니다."

종혁은 고개를 모로 기울였다.

검사장은 그런 종혁을 보며 살포시 웃었다.

'국정원이 조사하고 있다는 그 미지의 단체.'

작년에 크게 망신을 당한 국정원이 어떤 범죄 단체를 조사하고 있다고 한다.

조직 이름이나 구성원조차 불명인 미지의 범죄 조직.

마치 사건이 따라다니는 듯 여러 사건과 얽히는 종혁이라면 그들의 꼬리를 잡을 수 있을지 모른다.

'정말 우연이라도 그렇게만 된다면…….'

검찰총장으로 향하는 길에 큰 보탬이 되어 줄 거다.

"아, 이번 사건은 잘 마무리할 테니 너무 걱정 마시고."

오택수도 눈을 크게 떴다.

"잘 부탁드립니다."

"저도 잘 부탁드립니다."

검사장은 걱정 말라는 듯 고개를 끄덕였다.

그도 이번 왕따 사건에 관심이 많았다.

'그 마포서장과 이어진 인간들이…….'

"어머. 여기들 계셨네요? 종혁이도 왔니?"

때마침 권아영이 다가온다.

종혁은 이모 하며 손을 흔들었고, 검사장은 놀란 표정을 짓는다.

"이거 권 이사가 참석할 줄은 몰랐습니다."

"저희 권&박 홀딩스에서 첫 번째로 투자한 회사잖아요. 당연히 참석해야죠. 검사장님도 잘 계셨죠?"

"나야 권 이사 덕분에 돈 걱정 없이 잘살고 있습니다. 앞으로도 잘 부탁드립니다."

"제가 부탁드려야 할 말이죠. 앞으로도 모쪼록 저희 권&박 홀딩스를 이용해 주세요."

강철선과도 안부 인사를 나눈 권아영이 종혁을 노려봤다.

"실망이야, 종혁아."

"……갑자기요?"

"그동안 배고프다면 밥 사 줘, 겨울 되면 추울까 옷 사 줘, 금이야 옥이야 키워 놨더니 경찰 됐다고 한번 찾아오질 않아?"

"아니……."

"따라와!"

"악! 잠시!"

종혁의 귀를 잡아 비튼 권아영은 사람들에게 양해를 구한 후 안쪽으로 향했고, 종혁은 살려 달라 사람들을 쳐다봤지만 그들은 슬그머니 모두 외면했다.

그렇게 종혁은 안쪽 룸으로 끌려갔다.

탁!

"죄송해요, 보스. 뭔가 난처한 상황 같아서……."

"아뇨. 잘했습니다."

구하려 했다는데 안 좋은 말을 할 수 있을 리가 없다.

"그보다 제가 어디까지 드러난 겁니까? 검사장의 눈빛이 예사롭지 않던데요."

"초기 투자자 등 드러낸 부분만요."

권아영의 눈이 냉정하게 빛났다.

"그 이상을 파고들려는 움직임이 있었지만……."

종혁은 그제야 안심할 수 있었다.

"그 정도라면 신경을 꺼도 되겠군요."

권아영은 걱정 말라는 듯 웃었다가 이내 미간을 좁혔다.

"그런데 이건 왜 만들라고 한 거예요?"

오늘 설명회를 개최하게 만든 제품은 작년 말 정병규 상해미수 사건과 밀실살인 사건 해결 이후 종혁이 부탁해 만든 거다.

"전에도 말했듯 꼭 필요한 거니까요. 여성과 아이들에게."

"보스가 그렇다면 그런 거겠지만……."

종혁의 사이즈에 맞지 않는 사소한 제품이다.

물론, 말하는 인형이 종혁의 아이디어이긴 했지만…….

"일선에서 일하다 보니 이것의 필요성에 대해 깨닫게 되더라고요."

"아."

그제야 종혁의 속내를 알게 된 그녀는 활짝 웃었다.

'역시 보스는 좋은 사람이야.'

"알았어요. 그럼 플랜대로 진행하면 되는 거죠?"

"예. PPL뿐만 아니라 광고, 메이저 채팅 및 게임들에서도 증정 이벤트를 진행해 주세요."

"네."

지이잉! 지이잉!

"풋. 정인철 사장님이네요. VIP도 대상으로 한 제품 설명회라 긴장이 되시나 봐요. 한번 만나 보시겠어요?"

알러뷰 돌의 사장이자, 회귀 전 말하는 인형의 원제작자 정인철.

종혁은 옅게 웃으며 고개를 저었다.

"괜찮습니다. 그럼……."

룸을 빠져나온 종혁은 재떨이가 있는 곳으로 향했다.

그곳엔 선객들이 있었는데, 그들과 살짝 떨어진 곳에서

오택수가 멍한 얼굴로 담배를 물고 있었다.

"왜 여기 계세요?"

"심란해서. 대체 강철선 검사와 검사장님은 어떻게 아는 거냐?"

학창 시절 운동선수였고, 경찰대에 입학한 종혁.

그리고 중앙지검의 검사장과 부장검사.

아무리 생각해도 접점이 없다.

"한상원 사건 기억하세요?"

"……아. 아아아, 그랬던 거야?"

"네. 그때 친분을……."

"불 좀 빌릴 수 있겠습니까?"

"아, 예. ……어?"

오택수는 순간 깜짝 놀랐다.

"허허. 여기서 뵐 줄은 몰랐습니다, 경위님."

푸근히 인사하는 장년인은 서울고등법원 부장판사이자, 얼마 전 음주운전도주 사건 때 만난 백순재였다.

"저도 정말 놀랍네요, 판사님."

'이 양반도 권&박 홀딩스 회원이었어?'

정말 회원 명단을 훑어봐야 할 것 같았다.

–오늘 제품 설명회를 찾아 주신 내빈 여러분들께 알립니다.

"……인사는 일단 나중에 하도록 할까요?"

"그럴까요?"

그들은 연회장으로 향했다.

그리고 곧 음악이 울리며 형형색색의 옷을 입은 모델들이 연회장 중앙에 설치된 런웨이를 가로지르기 시작했다.

종혁은 그들의 목과 손을 보며 눈을 빛냈다.

5장. 얼굴 없는 남자친구

얼굴 없는 남자친구

"다녀왔습니다!"

크게 외쳤지만 인기척이 없는 집.

여대생 이지혜는 익숙하다는 듯 방으로 들어가자마자 컴퓨터부터 켰다.

그리고 부모님께 전화를 걸었다.

"응, 엄마. 나 집에 왔어. 아, 진짜 집이라니까? 집으로 전화해 보면 알잖아. 응, 알았어요. 끊어요."

전화를 끊은 그녀는 입술을 삐죽 내밀었다.

"아니, 나도 성인인데 7시 통금인 게 말이 되냐고. 아무리 거짓말 쳤다가 걸렸다지만……."

친구 집에서 잔다고 해 놓고 남자친구랑 만났던 걸 걸렸다.

그날 하마터면 머리 깎여 비구니가 될 뻔했고, 줄어든

통금 때문에 결국 남자친구와도 헤어지게 됐다.

"……진짜 미워."

그때 얼마나 서러워 울었는지.

지금도 그때만 생각하면 울컥 눈물이 차오른다.

오늘도 친구랑 저녁만 먹고 집에 돌아와야 했다.

하지만 어쩔 수 없다. 이 집에서는 부모님이 법이었다.

입술을 삐죽 내민 그녀는 게임에 접속했다.

"응? 증정 이벤트?"

무려 만 명을 대상으로 한 이벤트다.

"이놈들이 웬일이래?"

그동안 버그 신고를 해도 무시하던 게임사.

호기심이 들어 클릭한 그녀는 깜짝 놀랐다.

"와, 1등 상품이 동남아 여행 상품권이야?"

과외 알바를 하는 친구들은 꼭 간다는 동남아 여행.

그뿐만 아니다.

5등까지의 상품이 모두 알차다. 그중 5등 상품은 얼마 전 TV 드라마에서 여주인공이 차고 나온 제품이다.

김윤희라는 얼짱 덕분에 유행하고 있는 그것.

여중생부터 여대생까지 필수 아이템.

이지혜는 홀린 듯 증정 이벤트에 참가했다.

"당첨되더라도 팔면 되니까!"

부모님 때문에 못 갈지라도 여행 상품권은 팔 수 있을 거다.

1등은 무조건 내 거라며 음흉하게 웃은 그녀는 다시 핸드폰을 들었다.

"뭐해? 얼른 겜 들어와, 이년아!"

—알았어!

이지혜는 곧 접속한 친구와 함께 게임을 시작했다.

"아차차. 벌써 10시네."

친구에게 오늘은 여기까지라며 양해를 구한 그녀는 얼른 채팅 사이트에 접속했다.

그리고 채팅 인원이 겨우 한 명뿐인 비밀 채팅방을 찾았다.

"후우. 있구나."

오늘도 있다.

오직 자신만의 디제이가.

—어서 와, 지혜야.

마치 새벽녘 라디오 디제이처럼 달콤하고 감미롭게 귓가를 울리는 목소리. 졸음기가 살짝 섞인 그 목소리에 그녀는 배시시 웃으며 채팅을 쳤다.

"언제 일어났어요? 밥은 먹었어요, 영철 오빠?"

그녀의 양 볼이 발갛게 달아올랐다.

* * *

저녁 8시.

오늘도 바쁜 홍익파출소가 가라앉는다.

한 사람의 폭탄 발언 때문이다.

"아니, 인사가 얼마 남았다고 지금 말하는 게 어디 있어요……."

"형님, 다시 생각해 보시는 게 어때요? 여기만 한 곳도 없잖아요."

"소장님, 소장님은 알았어요?"

서운해하는 파출소 식구들의 모습에 박 경위가 푸근히 웃는다.

홍익파출소에서 15년 넘게 근무한 박 경위.

그가 곧 있으면 있을 인사이동 때 지방 파출소의 파출소장으로 전근을 간다는 갑작스러운 소식에 아쉬운 소리가 이곳저곳에서 흘러나왔다.

"나도 그러고 싶은데, 이제 나이가 나이라서 말이야."

"박 경위님……."

금방이라도 눈물을 흘릴 듯한 한승연을 토닥인 박 경위는 장난스럽게 웃었다.

"지금 당장 가는 거 아니니까 벌써부터 없는 사람 취급 말고! 그러면 나 진짜 화낸다? 그리고 나만 가냐?"

맞다.

이번엔 제법 많은 사람들이 홍익파출소를 떠난다.

염상철 사건 덕분이다. 능력 있는 경찰을 필요한 곳에 배치시키는 건 상부로서 당연히 해야 될 일이었다.

"그래! 우리 파출소에서 처음으로 파출소장으로 영전하는 건데 축하해 줘야지! 자, 박수!"

"어휴……."

아쉬움 가득한 박수 소리가 울려 퍼졌다.

갈 사람은 가고, 올 사람은 온다.

그게 공무원이었다.

종혁은 그에게 다가가 손을 꼭 잡았다.

"섭섭합니다. 그래도 나름 파트너였는데……."

"미안, 미안. 내가 최 경위한테는 할 말이 없다."

순환 근무이기에 몇 달 후면 이곳을 떠날 것이 정해져 있던 종혁.

그 탓에 오택수가 임시 사수에서 물러난 이후로는 이쪽저쪽 상황에 맞춰 지원하는 형태로 근무할 수밖에 없었다.

그러다 자신이 번거로움을 감수하더라도 함께 짝을 이루겠다며 지원해 준 박 경위 덕분에 간신히 떠돌이 신세를 벗어날 수 있게 되었다.

그랬던 그가 떠난다고 하니 섭섭하지 않다면 거짓말일 것이다.

"고마워. 덕분에 가는 거야."

나이가 차서 우대의 의미로 경위로 진급한 케이스인 박 경위.

종혁이 순찰이나 출동을 할 때마다 실적을 올리지 않았다면 제아무리 지방이라도 파출소장은 꿈도 못 꿨을 거다.

그런 그의 말에 이번에 다른 경찰들이 고개를 끄덕인다.

종혁은 그 외에도 이 파출소를 위해 참 많은 일을 해

줬다. 정말 좋아할 수밖에 없는 동료였다.

“뭘요. 다 경위님이 잘 이끌어 주신 덕분이죠. 정말 많이 배웠습니다. 생각 많이 날 거예요. 거기 가셔도 저 잊으시면 안 돼요? 그럼 안녕히…….”

아쉬움을 참으며 떠나는 손에 박 경위가 발끈한다.

“아니, 지금 안 간다니까? 내일도 출근한다니까? 이 자식들이…… 야, 때려치워. 안 가.”

파출소에 웃음이 터진다.

마찬가지로 웃던 장철호 소장은 박수를 쳤다.

“자, 저기 퇴물 아저씨는 오늘부터 내근이니까 무시하도록 해. 업무 시작!”

“예!”

“저 이씨!”

“아, 최 경위는 나 좀 보고.”

“옙!”

종혁은 장철호 소장을 따라 소장실 안으로 들어갔다.

“너도 우리 파출소에 온 지 벌써 몇 달이 지났네.”

“……그러게요. 벌써 그렇게 됐네요.”

이젠 슬슬 밖에 나가기 싫을 만큼 더워지고 있다.

이제 절기상으로도 완연한 여름이다. 시간이 언제 이렇게 빨리 지나갔나 싶었다.

‘벌써 거의 반이 지났네.’

종혁도 갑자기 서운하고 섭섭해지기 시작했다.

“다음엔 어디로 갈 거야? 말 나온 곳은 있어?”

"아마 본청 특수나 프로파일링에 가지 않을까 싶어요."
"광수대나 마약대 안 가고?"
원래 순환 근무는 경제팀을 거쳐야 하지만, 불러 주는 곳이 너무 많은 종혁은 특례로 예외 허용을 받을 수 있었다.
"거기 갔다가는 강제로 말뚝 박힐 것 같아서요. 아, 그래서 어떤 거 때문에 부르신 거예요?"
종혁의 물음에 정철호가 어색하게 웃으며 커피를 홀짝였다.
"이번에 박 경위가 완전히 내근으로 빠지게 됐잖아? 그래서 앞으로 어떻게 하고 싶은지 묻고 싶어서."
"혹시 오 경위님에게 합류해도 될까요? 이제 지원은 그만하고 싶네요."
뚜렷한 담당 구역 없이 이곳저곳 불려 다니며 지원하는 건 아무래도 피곤할 수밖에 없었다.
그럴 바엔 차라리 처음에 임시 사수로 함께했던 오택수 경위 쪽에 합류하는 편이 편했다.
"뭐, 그렇게 해. 오 경위한테는 내가 잘 말해 줄게."
그렇게 종혁의 어깨를 두드리며 좋아하던 장철호의 낯빛이 갑자기 어두워진다. 한 고비를 쉽게 넘겼지만, 다른 고비가 남아 있기 때문이다.
"하…… 근데 이건 어째야 하나……."
"순찰 구역 재조정이요?"
종혁과 박 경위가 짝을 이루어 담당하던 순찰 구역.

장철호는 이것을 어떻게 조정하여 분배할지 골치가 아플 수밖에 없었다.

"어? 어……."

종혁은 씩 웃었다.

누구와 함께 순찰을 도느냐는 종혁에게 중요한 문제가 아니었다.

'어차피 놈만 잡으면 되니까.'

192번지 주택이 있는 주택가.

그곳만 순찰 구역으로 포함시키면 된다.

"음…… 이렇게 하면 어떨까요?"

이어지는 종혁의 설명에 장철호의 얼굴이 확 밝아졌다.

* * *

한편 파출소 밖에 모인 시보 경찰들이 제법 심각한 이야기로 말을 한다.

"박 경위님 내근으로 전환되면 최 경위님은 어떻게 되는 거야? 그 순찰조를 인계받는 건가?"

"그럼 조는 누구랑 짜고?"

"아마 승연이 네가 되지 않을까?"

"뭐?"

"김 경장님 벌써 4수잖아. 진급 시험 준비하시지 않겠어?"

동기들이 떠드는 이야기에 최재수가 씩 웃음을 지으며 말했다.

"햐, 최 경위님이 마지막 평가를 어떻게 주시려나?"

시보에게 무척 중요한 근무 평가.

이 평가로 인해 홍익파출소에 잔류할지, 전출될지, 아니면 탈락될지가 결정된다.

잔류는 거의 시보의 결정에 따른다지만, 그래도 마지막 평가는 정말 중요하다고 볼 수 있다.

"그런 말은 웃지 말고 하지?"

"어흠. 야, 솔직히 넌 마지막 평가 망친다고 해도 걱정 없잖아."

며칠 전 몰래 듣기로 모두 상 아니면 중이라고 했다. 인수인계를 받은 종혁이 혹여 낮은 평점을 줘도 그녀가 정식 순경이 되는 데는 문제가 없다.

"흐흐. 잘해 봐. 최 경위님 좋은 분이야. 이가 갈리도록 좋은 분."

"……네가 매를 버는 이유를 이젠 확실히 알 것 같아. 너 나 3년 뒤에 경장 되면 봐."

"허! 나도 그땐 경장 될 거거든요?!"

"너 따위가요? 순경이나 되시고 그런 말 하세요. 너 진짜 간당간당한 거 알지?"

"응, 그래. 내일부터 수고해."

"이게 진짜!"

"야, 야! 또 왜들 싸워?! 그러다 너희 사귄다?"

"야! 미쳤냐?!"

그렇게 투덕거리던 그들은 이내 곧 파출소 안으로 들어

갔고, 아직 분이 가시지 않은 건지 씩씩거리는 동기를 뒤로한 최재수는 마침 사수와 함께 이야기를 나누고 있는 종혁에게 냉큼 다가갔다.

"최 경위님."

종혁은 갑자기 말을 거는 최재수를 쳐다봤다.

"……?"

"순찰조 말이에요. 이어받으시는 거 맞죠? 파트너는 정하셨어요?"

"아, 그거……."

뭔가 이상해 입을 다문 종혁은 최재수와 그의 동기들을 봤다.

그러곤 피식 웃었다. 오택수도 어이없다는 듯 웃었다.

"파트너요? 여기 있잖아요."

"네? ……노, 농담?"

"앞으로 몇 달간 잘 부탁드립니다, 오택수 파트너님."

"어이! 잘해 보자!"

최재수는 입을 떡 벌렸다.

"말도 안 돼-!"

최재수의 외침에 갑자기 조용해진 파출소.

오택수는 얼굴을 구겼다.

"뭐, 인마? 뭐가 말이 안 되는데. 뭐가?"

"아, 아니, 그게……."

또 혼이 나기 시작한 최재수에게서 시선을 돌린 종혁은 한승연을 봤다.

"한 순경도 잘 부탁해요. 이틀에 하루씩이지만."

"……예?"

잠시 종혁의 말을 이해 못했던 그녀는 고개를 돌렸다가 입을 떡 벌렸다.

정말 미안하다는 표정을 짓고 있는 사수 김 경장.

결국 김 경장은 내년에 있을 진급시험에 올인한 것이다.

즉, 이틀에 한 번은 종혁이 그녀의 사수.

'어, 어떻게? 그동안의 우리가 쌓은 정은?'

한마디 말없이 이런 선택을 한 사수에게 서운한 감정이 없다면 거짓말일 것이다.

종혁은 그런 한승연을 토닥여 주었다.

'어쩌겠어. 까라면 까야지.'

주먹구구라도 명령은 명령이었다.

'대신 마지막은 좀 화려할 거예요.'

놈만 잡는다면 충분히 그럴 것이다.

기회를 놓친 건 김 경장이었다.

* * *

"순찰 다녀오겠습니다."

파출소를 나선 종혁과 오택수가 서로를 본다.

"오늘 점심은 어떡할래요?"

다시 돌아온 주간 근무.

순찰 구역이 늘어나면서 순찰 시간도 늘어난 탓에 순찰

을 끝마치고 오면 다 식어 버린 국을 먹어야 한다.

그럴 바에는 차라리 밖에서 먹고 오는 게 나았다.

"야, 난 너처럼……."

"중국집 어떠세요? 깐풍기 쏩니다."

"어디서 볼까?"

"할머니 슈퍼에서 보는 건 어떨까요? 1시까지."

"우리 쪽 주택가? 오케이. 그럼 수고."

"수고하십쇼."

오택수와 최재수가 순찰차를 타고 떠나자 종혁은 한승연을 바라봤다.

"우리도 가죠."

"네!"

운전석에 오른 종혁도 순찰차를 출발시켰다.

느릿하게 도로와 골목길을 나아가는 순찰차.

"하, 진짜 싹 다 딱지 끊어 버려?"

차 두 대는 여유롭게 지날 수 있는 골목길이 주차된 차들 때문에 지나기가 힘들다.

"차, 참으세요."

한번 한다면 하는 종혁.

하지만 함부로 딱지를 끊었다가는 파출소 전화기가 폭발한다.

"농담이에요."

한숨을 쉬는 승연을 보며 피식 웃은 종혁은 부드럽게 차를 몰았다. 별 탈 없이 순찰을 마친 그들은 할머니 슈퍼로 향했다.

"하드?"

"아, 네!"

슈퍼 평상에 앉아 메론바를 입에 문 종혁은 승연을 쳐다봤다.

"시보 딱지 떼면 어떡할 거예요? 잔류? 이동?"

"일단은 잔류할 예정입니다. 아직 배워야 할 게 많으니까요."

'그렇게 다 배워서 경장을 달면 강력계로 꼭…….'

중요하지 않은 사건은 없다지만 그래도 이왕이면 강력사건을 다루고 싶다. 더 나쁜 범죄자를 잡으며, 그 치열한 현장을 누비고 싶다. 그녀는 그러기 위해서 경찰이 된 것이었다.

승연은 이런 속마음을 숨겼지만, 그 눈에 서린 열기를 읽은 종혁은 고개를 끄덕였다.

'현명하네.'

순경 때는 이게 옳다. 넘치는 혈기에 더 많고 보다 강력한 사건만 쫓아다녔다가는 성장은커녕 망가질 확률이 높기 때문이다.

"잘 배워 봐요. 좋은 사람들이니까."

그녀가 정식으로 한 식구가 되면 종혁도 나름 도울 생각이었다. 어쩌면 그녀와 파트너가 될 수도 있으니까.

"가, 감사합니다!"

스르륵! 탁! 탁!

"뭐야, 너희끼리만 먹어?"
"늦은 사람들 잘못이죠."
"의리 없는 것들. 할매-!"
이내 곧 오택수와 최재수도 옆에 앉아 하드를 빨기 시작했다.
"아이고. 파출소엔 별일 없지?"
슬그머니 나와 평상 옆 의자에 앉는 주인 할머니.
오택수의 얼굴에 걱정이 서린다.
"일은 무슨 일. 맨날 똑같지. 할매나 건강 챙겨요. 다리는 좀 괜찮아요?"
"나야 뭐……."
그렇게 두런두런 이야기를 나누는 오택수의 모습에 종혁과 최재수는 그러려니 하지만 한승연은 놀랐다.
'오, 오 경위님이 저런 말을?'
"어후. 배고프다. 일어나자. 다음에 올게요, 할매!"
"그럴까요?"
그런 그들의 앞으로 검은 차 한 대가 지나가다 근처에 주차했다.
탁, 탁!
"왕!"
뒷좌석에서 대형견 종류의 강아지를 꺼내 든 호리호리한 체구의 사내에 시선이 뺏긴다. 초승달의 그리는 눈에서 떨어지는 애정 때문인지 몰랐다.
하지만 종혁은 다른 의미로 시선을 빼앗겼다.

'놈이다!'

미래의 경찰이라면 결코 잊을 수 없는 얼굴이다.

"어휴. 저건 얼마나 가려나."

"그게 무슨 말이에요?"

"내가 저 집에 동물이 들어간 걸 본 것만 수십 번이야. 사람은 참 저렇게 참한데, 뭘 저리 빨리 질려 하는지. 뭔 동물만 키웠다 하면 석 달을 못 가니…… 에휴."

종혁은 그런 그녀의 말에 눈을 빛냈다.

"그 말씀은 석 달에 한 번은 꼭 새 강아지를 산다는 건가요?"

"지금은 강아지지만 전엔 토깽이나 병아리 뭐 그런 것들이었지. 그리고 지금은 석 달이 아니라 한 달도 채 안 돼. 사람이 진득한 맛이 있어야 하는데…… 저것도 병이야. 쯧쯧쯧."

할머니는 그 점만 빼면 정말 좋은 청년이라는 말을 덧붙였다.

그에 속으로 코웃음을 친 종혁의 눈빛이 가라앉았다.

'동물을 바꾸고, 주기가 짧아졌다라…….'

이제 멀지 않았단 소리다.

실제로 회귀 전 일이 벌어졌던 때가 얼마 남지 않았다.

종혁은 마치 누군가를 찾듯 주위를 슥 둘러보더니 192번지 저택 안으로 들어가는 사내, 윤영철을 차갑게 노려봤다.

한편 집 안으로 들어온 윤영철의 표정이 싸늘하게 식는다.

"왕? 끼잉?!"

양손으로 조심이 안아 들던 강아지의 뒷목을 잡고 안쪽으로 향한다. 그리고 깨끗한 욕실 안에 던져 버린다.

"깨앵! 깽!"

떨어진 충격도 충격이지만, 욕실에서 나는 냄새에 깜짝 놀란 강아지가 윤영철에게 달려갔다.

피비린내. 동족의 피비린내다.

하지만 문은 매정히 닫힌다.

쿠웅!

낑! 끼잉!

문을 벅벅 긁는 소리를 무시한 윤영철은 컴퓨터 앞에 앉았다.

위이잉 돌아가는 본체 소리가 애달픈 강아지의 울음을 삼켰다.

"경찰이라……."

방금 전 본 경찰. 파출소 순경.

주인이 허락하지 않으면 함부로 들어올 수 없는 놈들.

신경 쓸 가치도 없는 놈들이다.

피식 웃으며 헤드셋을 쓴 그는 채팅 사이트를 켰다.

"쯧. 귀찮게."

증정 이벤트창을 보지도 않고 꺼 버린 그는 로그인을 하여 방을 하나 만든 채 가만히 기다렸다.

1시간이건 2시간이건. 그녀가 접속할 때까지.

"이제 얼마나 더 참을 수 있을까……."

빈 채팅방을 응시하는 그의 눈이 지독한 갈증으로 번들거리기 시작했다.

* * *

치이익!

하얀 지방과 붉은 살결이 뜨거운 불판 위에서 익어 간다. 얇게 잘린 얼린 고기가 숨을 죽이며 허연 거품을 토해 낸다.

"이거 가만 보면 처음에 했던 말은 싹 다 구라야. 뭐? 곱게 자라서 아무거나 못 먹어? 에라이."

녹아들듯 익어 가는 대패삼겹살.

1인분에 3800원.

이곳은 서민들의 사랑방, 사랑방 고깃집이다.

종혁은 코웃음을 쳤다.

"돼지에 고급이고 저급이고가 어디 있습니까. 다 맛있지. 안 그래요, 한 순경?"

"아하하."

군침을 꼴깍꼴깍 삼키던 한승연은 어색하게 웃었다.

최재수는 이 와중에 오직 불판만 볼 뿐이다.

오늘은 그들끼리 다시 조를 짜게 된 걸 축하하기 위한 환영회.

한승연도 나름 같은 조라서 꼽사리 끼게 됐다.

"또라이 새끼."

"술이나 드세요."

종혁은 무시하며 대패를 한 젓가락 크게 떴다.

입안 가득 뭉쳐 들어와 눅진하게 뭉개지는 돼지 육향의 향연.

바삭하게 익은 부위들이 식감을 더하며 절로 술을 부른다.

"크아! 이모, 여기 소주 세 병이랑 대패 10인분 추가요!"

혀를 찬 오택수는 담배를 물었고, 종혁은 냉큼 그걸 뺏었다.

"어디 밥상머리에서. 지금이 90년대입니까?"

"이게 진짜!"

"술이나 받으세요."

"……넌 이 새끼야, 사수가 당하는데 뭐하고 있어?"

"고기 먹습니다. 방해하지 마세요."

"……내가 꼰대인지, 니들이 또라이인 건지."

고개를 저은 오택수는 술을 주욱 들이켰고, 종혁은 그 입에 크게 싼 쌈을 넣어 줬다.

결국 풀썩 웃은 오택수는 검지와 중지를 입에 가져다대며 몸을 일으켰고, 마침 담배가 몰린 종혁도 따라 일어섰다.

딸랑!

문을 열고 나가니 가게 안과 느낌이 다른 열기가 몰려왔다.

그래도 약간은 시원한 바람.

둘은 폐부로 스며드는 담배에 잠시 말을 멈췄다.

부웅. 빵빵.

어디론가 향하는 차들은 오늘도 바쁘다.

"……192번지."

종혁은 말을 꺼내는 오택수를 봤다.

거슬리는 게 있는지 미간을 찌푸리는 그.

"뭔가 이상하지 않디?"

종혁은 눈을 빛냈다.

역시 베테랑다운 촉이었다.

"이상하죠."

"그렇지? 너도 이상하다고 생각하지? 아니, 그렇게 계속 들이면 원래 키우던 애들은 어떻게 한다는 건데?"

석 달마다, 아니 지금은 한 달 주기로 새로운 동물을 들인다고 한다.

여기서 거슬리는 점은 동물이 집 안으로 들어가는 건 본 사람이 많은데, 나가는 걸 본 사람이 없다는 것이다.

전부 계속 키우고 있는 것일 수도 있으나, 192번지의 평수가 그 많은 동물들을 전부 수용할 수 있으리라고는 생각되지 않았다.

"게다가 처음엔 병아리."

"그다음은 토끼."

지금은 강아지다. 그마저도 점차 대형견으로 바뀌었다고 한다.

이 또한 대수롭지 않게 여길 수도 있지만, 경찰인 그들의 시선에는 달리 보였다.

오택수는 딱딱하게 굳은 눈빛으로 종혁을 봤다.

"난 왜 아무리 생각해도 이 새끼가 그 동물들을 죽인 건 아닐까 하는 의심이 들까? 짐승 짖는 소리가 안 난다잖아. 아니, 안 났어. 주인이 들어갔는데도."

그것이 오택수가 의심을 품은 결정적인 이유다.

한두 마리도 아니고 그 많은 동물이 전혀 울음소리를 안 낸다?

말도 안 되는 일이다.

종혁은 담배를 깊게 빨았다.

이래서 유능한 베테랑은 함께 일하기가 편하다. 굳이 단서를 안 줘도 알아서 정답에 근접해 버리니까.

종혁은 차갑게 웃었다.

"그렇게 궁금하면 확인해 볼까요?"

"음? 어떻게?"

"거슬리는 점부터 확인한다. 기본이잖아요?"

"……아. 하핫. 그러네. 맞네. 이야, 내가 너무 현장에서 떨어져 있었나? 날짜 맞춰서 콜?"

"콜."

둘은 똑같은 미소를 지으며 돌아섰다가 깜짝 놀랐다.

언제 나왔는지 한승연이 굳은 얼굴로 서 있었다.

"저, 저도 함께 갈 수 있을까요?"

종혁와 오택수는 눈을 껌뻑였다.

* * *

정말 어렵게 날짜를 맞춘 휴가 날.

오늘은 가볍게 A사의 외제차를 끌고 나온 종혁은 약속 장소로 향했다.

미리 약속 장소에 도착해 있던 오택수는 혀를 내둘렀다.

"넌 대체 차가 몇 대냐?"

"스무 대 넘어간 뒤로는 세어 보지 않아서……. 그보다 최 시보는 왜 여기 있어요?"

종혁과 오택수, 한승연이 휴가 날짜를 맞추던 날 자기도 기어코 쉬겠다기에 무슨 일이 있나 싶었는데, 여기서 볼 거라곤 생각조차 못했다.

당장 그제까지 파출소 내 모든 당직을 도맡으면서까지 휴가에 대한 집착을 보인 그.

"에이. 왜 그러세요. 저도 한 팀이잖아요."

종혁은 네가 말했냐며 한승연을 봤고, 그녀는 다급히 고개를 저었다. 그렇다면 범인은 한 명이다.

"어쩌겠냐, 사순데. 키워야지."

"……진짜 욕보십니다."

"흐흐. 그래서 어디로 가실 건가요?"

자기를 욕하는데도 눈을 초롱초롱 빛내는 최재수의 모습에 종혁은 고개를 저었다.

눈치가 없는 건지, 아님 근성이 좋은 건지.

아님 둘 다인 건지.

“차 출발하면 다들 눈 좀 붙여요. 철원까지 가야 하니까.”

윤영철이 어렸을 적 살았던 동네, 철원.

오늘의 목적지는 그곳이었다.

셋이 차에 오르자 종혁은 차를 출발시켰다.

스르릉!

“습! 벌써 다 왔어요?”

“죄, 죄송합니다.”

서울을 벗어나자마자 본격적으로 속도를 높였는데도 꾸벅꾸벅 졸더니 결국 잠들어 버린 최재수와 한승연.

“어떻게 160km를 넘기는 속도에서도 자냐. 어제 뭐했냐?”

오택수의 타박에 두 사람의 얼굴이 빨개진다.

‘그러는 오 경위님은요?’

보조석 매너를 잊고 깜빡 졸았던 오택수가 더 나빴다.

그런 종혁의 시선을 알아차린 오택수는 모른 척 기지개를 쭉 켰다.

“어으-! 여기가 걔가 살았던 동네야?”

“예. 윤영철은 이곳에서 4년을 살았습니다.”

당시 대령이었던 아버지와 초등학교 1학년 때부터 함께 살았다.

“우리 동네보다 더 낙후된…….”

“쉿! 쉿!”

이런 시골에 와 본 건 처음인지 눈을 빛내며 주위를 둘러보던 최재수와 한승연이 의아해하며 종혁을 본다.

종혁은 그들의 시선을 외면하며 근처의 낡은 슈퍼 안으로 들어갔다. 그리고 과자나 음료수 등을 모조리 쓸어 담았다.

그런 통 큰 행동에 슈퍼와 연결된 방에 앉아 있던 노인이 화들짝 놀랐다.

"아이고. 처음 보는 양반들 같은데 어디서 왔어요? 면회 왔어요?"

"예. 서울에서 왔어요."

"그 먼 곳에서? 좋은 사람들이네."

"하하. 그런데 면회 때문은 아니에요, 할아버지."

종혁은 의아해하는 그에게 혹할 수밖에 없는 단어를 던졌다.

"어떤 나쁜 놈이 저희에게 사기 치고 도망쳤거든요. 그놈 쫓는 중이에요."

노인의 눈이 퉁방울만큼 커진다.

"영철이? 윤영철? 아버지가 대령이었고?"

'어, 어떻게?!'

최재수와 한승연은 기겁했지만, 발을 치는 오택수의 행동에 얼른 표정을 수습했다.

"얼마 전에도 그놈 찾는 사람들이 있던데 젊은이들도 그런 거야?"

'윤영철을 찾는 사람이 또 있다고? 왜?'

최재수와 한승연은 정신을 차릴 수 없었다.

그들은 심각해졌다.

"예. 잘 아세요?"

"알지. 왜 몰라. 전에 온 사람들에게도 말했지만, 내 여태껏 살면서 그런 놈은 처음 봤어!"

그러면서 꺼낸 말이 경악스럽다.

국민학교 1학년 때 짝꿍의 팔을 찰흙 칼로 그어 버렸다. 미술 시간에 짝꿍 팔이 자기 책상을 넘어왔다는 사소한 이유로.

당연히 이 좁은 동네가 뒤집어질 수밖에 없었다.

이 외에도 전학 가기 전까지 상해 사건만 총 17건을 일으켰고, 이유는 모두 사소했다.

"이 동네 사람 아무나 붙잡고 물어봐. 그때 그 어린놈 하나 때문에 동네가 쑥대밭이 됐으니까."

"그 정도였어요?"

얼마나 충격적이었기에 20년 전의 일이 아직도 기억이 날까.

종혁은 치미는 구역질을 억지로 눌러 내렸다.

"미치다 못해 아주 저주받은 놈이었지. 그놈이 동네에 온 이후로 동네 고양이들이 죽어 나갔거든. 쥐약 먹고."

"흡?!"

그러다 윤영철이 전학을 가자 그런 일이 뚝 끊겼다고 했다.

최재수와 한승연의 얼굴이 하얗게 질렸다.

"국민학교에서도 뭔 일이 있었다고 하던데…… 잠깐만."

노인은 얼른 누군가로 전화를 걸어 사정을 설명했다.

"어, 그래? 알았어."

노인은 종혁을 봤다.

"당시 닭 같은 거 키우던 학교 사육장도 없어졌다는구만. 동물들이 싹 다 죽어서. 봐, 이놈은 정말 저주받은 놈이야. 아무튼 그놈이 다시 이 동네 왔다는 말은 없는데…… 혹시 모르니까 청년회 사무소 찾아가 봐. 거기 청년회장이 알려 줄 테니까."

종혁은 눈을 빛냈다.

"감사합니다. 그런데 방금 하신 말을 다시 해 주실 수 있을까요? 나중에 그놈 잡아서 감옥에 처넣으려면 꼭 필요해서요."

종혁은 그러며 슬그머니 옆 냉장고에서 막걸리 몇 병을 꺼내 내려놨다.

"이건 친구분들과 나눠 드시고요."

"어흠. 그게……."

종혁은 냉큼 녹음기를 내밀었다.

"감사합니다."

"그래, 그놈 꼭 잡아!"

그렇게 그들이 떠나자 노인은 종혁이 내려놨던 막걸리를 슬그머니 냉장고 안으로 집어넣었다.

이후 청년회장도 만나 이야기를 나눈 그들이 마지막으로 향한 곳은 윤영철이 다녔던 국민학교였다.

경찰공무원증을 내밀자 생활기록부를 살피는 건 쉬웠다.

그런데.

성적 우수우수수.

성격이 밝고 쾌활하며 반의 중심이 되는 아이다.

약간 조급하지만, 솔선수범하여 친구들을 이끄는 경향이 있다.

오택수와 최재수, 한승연은 말을 잃었다.

"뭔가 이상하지 않아요?"

당연히 이상했다.

방금 전 그들이 들은 것과 완전히 다른 내용.

그들의 머릿속에 대령이었던 윤영철 아버지가 떠올랐다.

군인들로 인해 먹고사는 강원도 철원.

오택수의 표정이 딱딱하게 굳었다.

"……이놈 중학교 어디 나왔냐?"

"논산이요. 타세요. 오늘 다 돌려면 시간 없으니까."

그들은 논산으로 향했다.

그리고 그들은 그곳에서 믿지 못할 이야기를 듣게 됐다.

* * *

"영철이? 아, 갸? 갸가 숫기는 별로 없어도 사람은 참 착했지. 지금 뭐하고 사나 몰라?"

"사기를 쳤다고? 그럴 리가. 잘못 안 거 아녀?"

그렇게 탐문을 마친 그들은 정신을 차리지 못했다.

철원과는 전혀 상반된 증언.

사고를 치기는커녕 굉장히 모범적인 학생이었다.

5학년부터 중학교 1학년까지 논산에서 산 윤영철.

온통 칭찬뿐이었다.

심지어 그 3년 동안 계속 반장을 했다.

"야, 이거 뭐냐? 뭐가 이렇게 앞뒤가 안 맞아?"

사소한 이유로 17번이나 친구를 해한 놈이 갑자기 바뀌었다.

달라진 점은 이사를 했다는 것 뿐이다.

말이 안 된다. 사람의 본성은 그렇게 쉽게 바뀌는 게 아니다.

끓는점이 낮은 인간은 작은 자극에도 터지는 법이다.

더욱이 겨우 국민학교 5학년이다. 이성보다는 본성이 앞설 시기다.

실제로 이들은 윤영철이 전학을 왔을 때부터 동네 고양이들이 쥐약을 먹고 죽어 나갔다고 말했다.

철원에서야 우연이라고 치부할 수 있지만, 논산에서도 같은 일이 일어났다. 우연이라고 볼 수 없었다.

"야, 내놔 봐."

"음?"

최재수와 한승연이 종혁과 오택수를 본다.

그러나 오택수는 종혁을 볼 뿐이었다.

"조사한 거 내놔 보라고."

종혁의 입가에 씨익 미소가 번졌다.

"들켰어요?"
"그럼 안 들켰겠냐? 이 타이밍에 윤영철을 찾는 놈이 또 있을 리가 없잖아."
최재수와 한승연은 깜짝 놀라며 종혁을 봤고, 종혁은 운전석 차문에 꽂아 둔 두꺼운 A4 뭉치를 꺼냈다.

〈윤영철 보고서〉

"헉!"
그 제목을 본 최재수와 한승연은 경악했다.
의문이 그들의 머릿속에 떠올랐다.
"머리 안 굴러가냐? 탐문의 기본을 가르쳐 준 거잖아."
정답이다.
종혁은 의아해하며 쳐다보는 둘을 향해 푸근히 웃었다.
"오직 내가 보고 들은 것만 믿어라. 그래야 경찰입니다."
경찰이라면 그래야 한다. 그래야 억울한 피해자를 만들지 않는다.
종혁은 이것을 가르쳐 주고 싶었다. 그래서 이미 모든 조사를 마쳤는데도 이 먼 철원까지 왔던 것이다.
"아……."
종혁은 멍해지는 그들의 모습에 오택수를 째려봤다.
'이 타이밍이 아니었는데.'
오늘 저녁까지 끌고 다닌 후에 그들이 지쳤을 때 보고서를 내밀며 말하려 했던 종혁으로선 오택수가 조금 원망스러울 수밖에 없었다.

"거봐! 말이 안 되잖아!"

버럭 소리를 지른 오택수가 보고서의 한 부분을 가리켰다.

이후 전학을 간 학교에서도 모범생으로 반장을 지내다 고등학교 2학년 때 전교부회장 선거에도 나간 그.

그러나 부회장 자리를 경쟁하던 친구와 크게 다투다 중상을 입힘. 그리고 전학.

"결국 이렇게 친구를 박살 낼 놈이 그동안 참았다고? 어떻게?"

폭력은 중독되기 쉬운 행위다.

한 번 맛을 들이면 쉽게 헤어나지 못한다. 그것만큼 손쉽게 우월감을 느낄 수 있는 행위는 없으니까.

종혁의 눈빛이 차가워졌다.

"그 욕구를 더 큰 폭력으로 찍어 눌렀다면요?"

"……군인 아버지!"

최재수와 한승연도 탄성을 터트렸다.

종혁의 표정은 더욱 차가워졌다.

"아마 윤영철의 아버지는 아들의 이런 폭력성을 이미 진즉에 깨닫고 있었을 겁니다."

"그랬겠지. 아버지니까. 그리고……."

"예. 동네에서 들고양이들이 죽어 나가는 것도 알았을 겁니다."

남들과는 다른 아들.

윤영철의 아버지는 그걸 폭력으로 찍어 누른 거다. 윤영철이 더 이상 남을 해치지 못하도록 강하게.

그때부터 윤영철은 새장에 갇힌 새처럼 살게 됐다.

그러다 윤영철이 부회장 자리를 놓고 겨루던 친구에게 중상을 입힌 이후 현재 사는 동네에 이사를 오면서 감시는 더욱 심해졌다.

어딜 가든, 누굴 만나든.

군대도 면제를 받았다.

실탄과 수류탄 등 살상 무기를 다루는 군대.

군부대에서 일어나는 사건, 사고를 누구보다 잘 아는 윤영철의 아버지이기에 면제를 시킨 게 분명했다.

심지어 인터넷조차 올해 초에 설치됐다.

이런 감시가 풀린 건 윤영철의 나이가 28살인 작년이다.

거의 10년. 그동안 별다른 사고를 치지 않는 아들이었기에 윤영철의 아버지는 이젠 안심할 수 있다고 생각한 게 분명했다.

그게 오판이었다는 것도 모르고.

윤영철은 감시가 사라지자 다시 동물을 사냥하기 시작했다.

처음에는 정말 감시가 사라진 게 맞을까 두려웠을 거다. 그래서 3개월에 한 번으로 참았던 걸 테고 말이다.

하지만 그렇게 몇 번을 반복한 끝에 감시가 사라졌다는 확신이 생기자, 결국 한 달에 한 번으로 줄어든 것이다.

"돌겠네."

섬뜩하다. 그로선 난생처음 보는 타입의 인간이지만, 놈이 뭘 원하는지 알 것 같다.

주기가 점점 짧아지고, 동물의 크기가 커지고 있다.

이젠 작은 생명체에 만족하지 못한다는 거다.

오택수는 그에 하지 말아야 할 상상을 하고 말았다.

"만약에…… 정말 만약에 놈이 더 이상 동물로 만족하지 못하게 된다면 어떻게 되는 거냐?"

"겨, 경위님!"

최재수와 한승연이 파랗게 질린다.

"아니지? 내가 생각하는 그게 아니지?"

종혁은 고개를 저었다.

그리고 이를 갈았다.

"놈은 분명 사람을 노리게 될 겁니다. 그것도 빠른 시일 내에."

"최 경위님!"

"왜요! 이 새끼도 사람이라면……."

"사이코패스. 이런 놈들을 두고 사이코패스라고 합니다."

자기중심적이고, 죄책감이 없으며, 본인의 안위를 위해선 스스럼없이 거짓말을 하는. 그리고 본인의 욕구를 참지 못하는.

즉, 주위에 비치는 참한 모습은 모두 연기인 거다.

그게 바로 사이코패스의 특징이다.

하지만 지금은 이런 게 문제가 아니다.

“아무튼 놈은 지금까지 억압된 채 살아왔을 겁니다. 밖과 제대로 된 소통도 못한 채 감시를 받으며 살았죠.”

욕구를 풀지도 못한 채.

“그러던 와중에 족쇄가 풀렸죠. 억눌러 왔던 만큼 어렸을 때처럼 동물만으로 만족하지 못할지도 모릅니다. 이미 타깃을 고르는 중일지도 모르죠.”

“뭐? 하지만 조사해 봤을 때 최근 행적에 별다른 이상한 점은 없었잖아.”

그랬다.

이미 두 사람은 192번지 주변을 탐문하여 그의 행적을 어느 정도 파악해 둔 상태였다.

그러나 어떠한 이상한 점도 발견하지 못했다.

“사람들에게 모습을 보이지 않고도 움직일 수 있는 공간이 있잖아요.”

“……인터넷? 채팅?”

오택수와 두 사람의 얼굴이 파랗게 질렸다.

* * *

“끼이잉.”

귓가를 아련하게 울리는 죽음의 소리.

죽이다 못해 방금 전 시신을 묻고 왔는데도 환청처럼 들린다.

죽음을 피해 도망치려 했지만 도망치지 못한 생명체의 겁먹은 눈빛. 숨통이 끊기는 순간 토해 낸 마지막 비명.

"흐으……."

화장실 거울 속 윤영철의 얼굴에 한가득 미소가 피어난다.

살아 있음을 느낀다.

하지만 아쉬운 점이 있다면…….

"조금 더 키운 후에 죽여야 했는데."

그래야 반항을 하지 않는다.

골통이 부서지고 심장이 찢겨도 안겨 온다.

그때의 그 짜릿한 쾌감.

만지려면 도망가는 닭이나 고양이, 토끼 따위에게선 느낄 수 없었던 쾌감.

"하지만 이것도 나쁘지 않아."

반항하고 도망치는 것도 제법 맛이 있다.

쏴아아아!

"룰루."

윤영철은 콧노래를 부르며 손에 잔뜩 묻은 피와 흙을 씻어 냈다.

샤워까지 마친 그는 개운한 얼굴로 컴퓨터 앞에 앉았다.

우우웅.

이젠 지워 낼 소리조차 없는데도 컴퓨터 본체는 맹렬하게 돌아간다.

아버지가 감시를 거두겠다 했지만, 혹시 모를 감시자를

찾기 위해 시작한 인터넷.

그런데 이곳에서 예상치도 못한 별세계를 발견했다.

인터넷 채팅.

그곳에선 조금만 잘해 주면 마치 전에 키우던 강아지처럼 아양을 떨고 나 좀 봐 달라고 난리다.

−오빠 일어났어요?

지금 막 메시지를 날리는 이지혜가 그렇다.

꿀꺽.

"큰일 났네."

다시 갈증이 솟는다.

피를 본 지 얼마나 지났다고.

"정말 큰일이야. 이젠 참지 못하겠어."

−지혜야, 우리 집에

"아냐. 아니야. 이렇게 바로 물으면 안 돼."

천천히. 옆에 놓인 책, 연애하는 법에서 말하는 것처럼 타이밍을 봐서.

하지만 오래 걸리진 않을 거다.

"그래. 조금만 참자. 조금만……."

그는 애써 그렇게 자신을 달랬다.

* * *

그렇게 길지만 짧았던 휴일이 끝나고 복귀한 그들.

너무도 큰 진실을 알았지만 사건, 사고는 그런 그들의

사정을 모른다는 듯 넘쳐 난다.

“사거리 마트 앞에서 폭행 사건이 벌어졌다니까 출동해!”

“예!”

“아이 씨. 경찰이면 다야? 다냐고! 너희 소장 불러!”

“저…… 길 좀 물으려 왔는데요.”

오늘도 떠들썩한 홍익파출소.

경찰들도 이리저리 뛰어다니며 바쁜 하루를 보낸다.

일할 땐 정말 가지 않았던 시간도 퇴근 시간이 되니 이렇게 짧았나 싶다.

“종혁아, 오늘 한잔 어때?”

“아, 좋죠. 오 경위님은 어떠세요?”

“네가 사냐? 아니면 안 먹고.”

“……한 번쯤은 사는 게 어떠십니까?”

평상복으로 환복을 마친 그들은 웃으며 파출소를 떠났다.

그런 그들에게 낯빛이 어두운 한승연과 최재수가 다가왔다.

이제 정말 며칠만 지나면 정식 순경이 되는 그들. 그래서인지 마음이 조급하다.

“저…… 최 경위님.”

둘의 얼굴을 본 종혁은 오택수를 봤다.

“자! 우린 여기까지! 내일 봅시다!”

“뭐야? 같이 한잔 안 하고?”

“야! 너희 요새 우리 따돌리고 맛있는 거 먹으러 다니냐?”

"그럼 수고하십쇼! 가자."

오택수는 종혁과 한승연, 최재수의 등을 떠밀며 파출소에서 멀어졌다.

그런 그들이 향한 곳은 종혁이 차를 주차하는 유료주차장이었다.

"윤영철 때문이에요?"

한승연과 최재수가 고개를 끄덕였다.

오늘 하루 낯빛이 어둡다 싶더니 역시나 이런 이유 때문이었다.

한승연이 이를 악물었다.

"윤영철…… 지금 못 잡는 거죠?"

"못 잡죠."

당연히 못 잡는다.

"왜요! 그 새끼가 범죄를 저지를……."

오택수가 발끈하는 최재수의 입을 때렸다.

"아직 아무것도 한 게 없는 놈을 어떻게 검거해, 이 똘빡아!"

"그럼 어쩌자고요, 씨발! 이러다 피해자가 생기면! 그제야 잡을 거야, 뭐야!"

"반말, 이 새끼야. 반말."

종혁은 얻어맞는 최재수를 보며 씁쓸히 웃었다.

최재수의 말이 옳다.

경찰은 결국 사건이 터지고 피해자가 생겨야 범인을 잡을 수 있다.

이래서 지랄 맞은 거다.

범인을 알아도 잡을 수 없다는 게.

'진짜 이럴 때마다 그 영화처럼 되고 싶지.'

2002년에 개봉한 할리우드 영화, 마이너 리포트.

예언가들의 예언으로 미래에 누가 어떤 범죄를 저지를지 사전에 알아차리고 범죄를 저지르기 전에 검거해 버리는.

솔직히 경찰 중에서 이 영화 속 경찰을 부러워하지 않은 사람이 없을 거다.

물론 찬반 논란이 참 많았다. 범죄를 저지르기 전까지 이 사람이 저지를지 저지르지 않을지는 그 누구도 장담하지 못하는 거니까.

"나도 알아요. 다 아는데!"

최재수가 갑자기 눈물을 글썽인다.

"최 경위님이 그랬잖아요. 억울한 피해자는 만들지 말라고."

보다 많은 범인을 잡는 것보다 단 한 명이라도 억울한 피해자를 만들지 마라.

"이 새끼가 사고를 칠 게 뻔히 보이는데! 사건 터지면 늦는데! 막을 수 있으면 막아야 하는 게 우리 경찰이 할 일이잖아요!"

종혁은 고함을 지르는 최재수의 모습에 오택수를 봤다. 초조한 건 이해하겠는데, 그렇다고 해도 반응이 너무 과하다.

그에 오택수가 담배를 물었다.

"너 오기 전에 관내에 살인 사건이 있었어."

나이 든 아들이 노모를 죽인 사건이다.

이유는 돈을 주지 않아서.

술 먹고 행패 부리기로 동네에서 유명한 아들은 파출소 신세를 자주 졌는데, 그때마다 엄마가 달려와 무릎 꿇고 사정을 해서 겨우 풀려났다.

"그때 노모가 빌고 빌어도 처넣었다면 막을 수 있었겠지. 그때 술 취한 아들과 노모를 집까지 데려다준 게 재수였어. 그리고 그다음 날…… 쯧. 염병."

"최 시보는 집어넣자는 쪽이었고요?"

"어. 승연이도 함께 데려다줬지."

한승연을 보니 주먹을 꽉 쥔 채 떨고 있다.

종혁도 담배를 물었다.

"지랄 염병 났네. 니미럴."

그렇다면 이런 모습도 이해가 간다.

눈앞에서 사람이 죽었다. 그것도 직접 돌려보낸 사람이.

마치 자신의 잘못 같았을 거다. 아니, 결국 최재수 본인이 죽인 거나 마찬가지라고 생각했을 거다.

그래서 그렇게 제 몸뚱이 사리지 않고 뭐든지 달려든 것이었다.

"진짜 지랄이네요."

"지랄이지."

그리고 이 지랄 같은 일을 겪으면서도 견디며 다른 이

들을 구해야 되는 게 그들 경찰이다.

"최 경위님."

종혁은 뭔가 각오를 한 듯한 그녀의 눈빛에 갑자기 불길해졌다.

그때였다.

띠리링! 띠리링!

핸드폰을 꺼낸 종혁은 미간을 좁혔다.

윤영철의 집 근처에 박아 놓은 흥신소 직원이다.

"잠시만요. ……예, 여보세요?"

-말씀하신 그 집 앞에 웬 여성이 서성이는데 어떻게 할까요?

'여성? 설마?'

순간 종혁의 머릿속에 첫 번째 피해자의 얼굴이 떠오른다.

그렇기에 말이 안 된다.

그녀가 윤영철의 집에 오는 건 내일이다.

방학이라서 아르바이트 구하러 간다고 집을 나섰던 그녀. 그녀는 그런 핑계를 대고 윤영철의 집으로 향한다.

그 전까지 얼굴 한 번 맞대지 않았던 남자의 집으로.

때마침 부모는 일이 있어 지방에 갔던 상황.

딸과 연락이 닿지 않기 시작한 게 모레부터다.

즉, 내일까지는 연락이 닿았단 소리다.

'왜? 대체 왜?'

머릿속이 뒤엉켰지만 지금은 그게 중요한 게 아니다.

"자, 잡아요! 일단 잡아!"

오택수와 한승연, 최재수가 종혁을 의아해하며 본다.

그러다 오택수가 눈을 동그랗게 뜬다.

"야, 설마?"

"타요, 얼른!"

"씨발!"

한승연과 최재수도 다급히 종혁의 차에 올랐다.

* * *

요새 한창 유행인 김윤희 패션을 쫙 빼입은 이지혜가 거울 앞에 서서 몸을 이리저리 비튼다.

그동안 모은 용돈을 모두 투자해 산 김윤희 패션.

그녀는 목에 걸린 넓고 두꺼운 패션 목걸이를 만지작거렸다.

자주하는 게임에서 증정 이벤트로 당첨된 패션 목걸이. 핸드폰을 연결해도 되고, 연결하지 않아도 충분히 톡톡 튀는 패션이다.

일명 김윤희 목걸이줄.

이게 당첨이 됐기에 큰마음을 먹고 김윤희 패션을 지른 거다.

그래서 얼른 보여 주고 싶었다.

오늘 처음으로 얼굴을 볼 남자친구 영철 오빠에게.

"실제로 만나도 사진처럼 잘생겼겠지?"

그녀의 가슴속에서 기대감이 확 차오른다.

목소리와 매너뿐만 아니라 위트까지 좋은 영철.

가끔씩 박력적인 모습을 보일 땐 잠을 이룰 수 없을 만큼 설렌다.

'실제로도 그런 모습일까.'

그렇게 기대하던 그녀는 갑자기 침울해졌다.

"하루 일찍 만나자고 떼쓴 것 때문에 싫어하지 않으면 좋을 텐데……."

얼른 이 모습을 보여 주고 싶어서 떼를 써서 약속을 하루 앞당긴 그녀. 윤영철도 흔쾌히 그러자 했지만, 그녀는 그랬던 자신의 모습이 마음에 걸렸다.

떼쟁이로 비춰졌을까 봐.

안절부절못하던 그녀는 이내 질끈 눈을 감으며 윤영철에게 지금 출발한다는 문자를 보냈다.

그리고 몇 초 후 답장이 아니라 전화가 왔다.

"여보세요?"

이보다 밝을 수 없다는 듯 전화를 받은 그녀.

하지만 돌아오는 목소리가 어둡다.

-하아. 지혜야 어쩌지?

"왜, 왜요?"

그녀의 심장이 덜컥 내려앉는다.

-발목을 삐끗해서 말이야.

안도의 한숨을 쉬었던 그녀의 얼굴에 걱정이 서린다.

"괜찮아요? 이번엔 어쩌다가요?"

가끔 넘어지고 다쳐서 매번 애만 태우는 영철.

-너 만날 준비를 하다가 넘어지는 바람에…… 발목을…….

"아……."

이지혜의 낯빛이 흐려진다.

그녀 본인의 탓이 아니건만 죄책감이 차오른다.

"그럼 오늘 못 만나는 거예요?"

-……미안.

"우리 오늘 처음 만나는 건데…… 내가 오늘을 얼마나 기대했는데……."

-나도…….

"히잉."

-그, 그럼 우리 동네로 올래?

화들짝!

"오, 오빠 동네로요?"

-기대하던 데이트는 못하겠지만 나도 널 보고 싶어서……. 우리 동네에 예쁜 카페 많아!

"……풋. 그렇게 만나고 싶어요?"

-넌 나 안 보고 싶어?

그 박력적인 말투에 지혜의 심장이 흔들린다.

이런 모습을 보일 때마다 져 버릴 수밖에 없다.

"피이. 알았어요. 도착하면 연락할게요. 쪽!"

-나도 사랑해.

배시시 웃으며 전화를 끊은 그녀는 자신도 모르게 슬쩍 티셔츠 안을 봤다가 깜짝 놀랐다.

"흠흠. 그럼 가 볼까?"

그녀는 윤영철의 동네로 향했다.

하지만 막상 윤영철이 찍어 준 주소의 집 앞에 서자 갈등이 생긴다. 한달음에 달려왔지만 이렇게 하는 게 맞는지 작은 의문이 든 것이다.

사진과 실물이 다르면 어쩌지.

성격이 다르면 어쩌지.

걱정이 든다.

"오빠라면 별일은 없겠지만……."

그녀는 목에 건 핸드폰 목걸이를 매만졌다.

김윤희의 그것과 똑같지만, 다른 점이 있는 핸드폰 목걸이.

여기서 생긴 안도와 영철에 대한 믿음으로 걱정을 누른 그녀는 고개를 끄덕였다.

"그래, 일단 만나 보고 생각하자!"

그녀는 다시 설레는 얼굴로 핸드폰을 들었다.

그 순간.

"거기 잠깐만."

'힉?'

그녀는 앞에서는 험악한 인상의 남자에 그대로 얼어 버렸다.

하지만 그것도 아주 잠깐이었다.

그녀는 곧이어 도착한 경찰들에게서 믿지 못할 이야기를 듣고 경악할 수밖에 없었다.

"그, 그러니까 영철 오빠가……."

주택가에서 멀리 떨어진 카페 안.

종혁은 파랗게 질린 채 불신 가득한 눈빛을 보내는 이지혜를 보며 이를 악물었다.

사이코패스 연쇄살인마. 일명 채팅 연쇄살인마, 윤영철의 첫 번째 피해자. 여대생 이지혜.

이렇게 그녀의 살아 있는 모습을 볼 수 있어서 정말 다행이고, 또 다행이었다.

"믿기지 않겠지만 지금 한 말은 모두 사실입니다. 윤영철은 저희 경찰도 예의 주시하는 인물로……."

지이잉!

"……확인해 보세요."

문자를 확인한 이지혜는 헛숨을 삼켰다.

지혜야, 늦니? 라는 짧은 문자.

평소처럼 다정한 말투지만, 종혁의 설명을 들어서인지 괜히 오싹해진다.

"장담합니다. 윤영철을 만나게 되면 분명 험한 꼴을 당하게 될 겁니다."

"그, 그럼 어떡하죠?"

동물을 죽였단다. 그것도 실수로가 아니라 습관적으로.

고양이, 병아리, 토끼, 강아지. 그 귀여운 아이들을.

그런 사람이 자신을 해하지 않는다는 보장이 있을까?

사람에겐 그렇지 않을지라도 여차하면 폭력을 휘두를 수도 있다.

그녀는 그게 무서웠다.

"이대로 돌아가셔서 연락을 끊으시면 됩니다."

그리고 원래 살아가던 대로 계속 살아가면 된다.

그러면 아무 문제가 없다.

그 이후엔 계획대로만 움직이면 된다.

목표로 삼았던 먹잇감이 코앞에서 도망쳐 눈이 뒤집힐 윤영철에게 새로운 먹잇감인 것처럼 접근을 한다.

그러면 윤영철은 함정인 것도 모른 채 달려들 터.

그때가 검거의 순간이다.

마침 같은 것을 떠올린 건지 오택수가 신호를 보낸다.

둘은 잠시 양해를 구하고 카페를 나섰다.

"이제 어떻게 할 거냐?"

종혁은 본인이 세운 계획을 말했고, 오택수는 만족스럽게 웃었다.

"시나리오 좋네. 심플하고, 깔끔하고. 배우는?"

"본청에 아는……."

"제가 할게요."

어느새 뒤따라 나온 건지 한승연이 굳은 눈빛을 보내고 있다.

"제가 하고 싶습니다."

종혁이 윤영철을 감시하지 않았으면 어떻게 됐을까.

결국 아들이 노모를 죽인 사건처럼 됐을 거다.

'그랬다면 견딜 수 있었을까?'

아니다. 견디지 못했을 거다.

'그러니.'

"그놈을 꼭 제 손으로 잡고 싶어요."

그래서 가슴속에 진 이 응어리를 풀고 싶었다. 이번엔 막았다고 노모에게 말하고 싶었다.

종혁은 그녀의 눈빛을 보고 깨달았다. 그녀가 결코 물러나지 않을 거란 걸.

그 마음이 이해가 가서 더욱 안타까웠다.

하지만 말릴 수 없다.

지금 말려 버리면 가슴에 진 응어리가 독이 되어 버릴 것이고, 훗날 이와 비슷한 사건을 해결해도 완전히 사라지지 않을 거다.

먼 훗날 시간이 지나야 가능할까.

그 독이 얼마나 지독한지 알기에 종혁은 차마 말릴 수 없었다.

"가능하겠어요?"

"맡겨 주세요. 꼭 해내겠습니다."

"……알겠습니다. 그렇게 해 보죠."

"충성!"

한승연의 얼굴이 확 밝아졌다.

그렇게 합의를 본 그들은 다시 카페 안으로 들어갔다.

"아, 그런데 경위님. 꼭 다른 사람으로 접근해야 되나요? 어차피 윤영철이나 이지혜 씨는 사진만 교환했잖아요."

"음?"

"저랑 이지혜 씨 얼굴형이 비슷한데……."

눈을 껌뻑인 종혁과 오택수는 한승연과 이지혜를 번갈아 봤다.

* * *

"죄송해요. 갑자기 엄마 때문에…… 네, 그럼 3시간 후에 봐요!"

전화를 끊은 이지혜의 얼굴이 급격히 무너진다.

"돼, 됐어요. 그, 그럼 전 이만 가 봐도 되는 거죠?"

"……죄송합니다. 지혜 씨를 믿지 못하는 건 아니지만, 혹시 모르니까 오늘 하루는 저희와 함께 있어 주시면 감사하겠습니다. 해 주셔야 할 말도 많고요."

이를테면 채팅을 할 때 나눴던 대화.

완벽을 기하기 위해선 그녀의 협조가 무척이나 필요했다.

"협조 부탁드리겠습니다."

"그런……."

종혁은 낙담하는 그녀의 모습을 애써 외면했다.

주어진 시간은 겨우 3시간뿐이다. 지체할 시간이 없었다.

"그럼 움직이죠."

종혁은 인맥을 동원해 겨우 스케줄을 잡은 메이크업 아티스트에게로 향했다.

* * *

어느새 어둑해지다 못해 소음미지 조용해신 수택가.

종혁은 옆에 앉은 한승연을 봤다.

뒷자리에 앉은 이지혜와 비슷한 옷차림을 한 그녀.

어두운 곳에서 보니 이지혜와 똑같이 보인다.

긴장을 한 것인지 그녀의 숨소리가 거칠다.

"힘들다면 지금이라도……."

"아뇨, 괜찮습니다."

종혁은 빤히 그녀를 응시하다 고개를 끄덕였다.

"명심해요. 놈이 덤비는 순간, 그 목걸이줄을 당긴 다음 몇 초만 버티면 돼요."

권&박 홀딩스가 제품 설명회에서 처음 공개된, 일명 김윤희 목걸이줄이라 불리는 호신용 방범벨.

작년 말 정병규 상해미수 사건과 밀실살인 사건 해결 이후 종혁은 조금이라도 피해자를 줄이고자 이것을 만들고자 했다.

누구나 쉽게 들고 다닐 수 있도록 디자인까지 신경 써서.

이지혜가 이걸 착용하고 있는 것을 본 종혁은 뿌듯함을 느끼는 한편, 이것을 이용하기로 했다.

"걱정 마. 넌 꼭 우리가 구할 테니까."

"이 동기를 믿어, 승연아."

"……예. 그럼 안에서 뵙겠습니다."

최재수의 말은 딱히 힘이 되진 않았지만, 각오를 다진 그녀는 핸드폰 목걸이줄을 어루만지며 차에서 내렸다.

종혁은 윤영철의 집으로 접근하는 한승연을 보며 이를 악물었다.

'부디 조금만 다치길…….'

그렇게 되길 종혁은 간절히 바랐다.

"저…… 제 핸드폰이랑 김윤희 목걸이줄은 괜찮겠죠?"

"그럴 일은 없겠지만, 혹여 더럽혀 지면 물어 드릴게요. 아니, 오늘 협조해 주셨으니 모두 다 새 걸로 사 드릴게요."

"저, 정말요?"

"쉿! 나온다."

오택수의 경고에 모두 숨을 죽였다.

절뚝거리며 나온 윤영철을 보며 어쩔 줄 몰라 하는 그녀.

'터지지만 마라. 지금 터지지만 마라.'

종혁은 간절히 바랐다.

한편 울컥울컥 치솟는 분노를 겨우 누르던 한승연은 이어지는 말에 정말 터질 뻔했다.

"너무 늦은 시간이잖아. 근처에 여는 카페도 없고, 커피라도 마시고 가."

정말 종혁이 말한 대로 안으로 끌어들이려 하고 있다.

'이 개자식!'

"으으음."

한승연은 정말 초인적으로 치솟는 분노를 내리눌러야 했다.

"알았어요……."
"그래, 어서 들어와."
활짝 웃은 윤영철은 한승연을 집 안으로 들였다.
돌아선 그의 눈에 희열이 스쳐 지나간다.
거실 소파에 앉은 그들.
윤영철이 커피를 내려놓으며 다정히 물었다.
"그런데 목소리가 좀 다르네?"
"네, 네?"
"아니, 전화랑 목소리가 다른 것 같아서."
"아, 그런 말 많이 들어요."
"그래?"
고개를 끄덕인 윤영철은 다시 입을 열었다.
"그런데 좀 일찍 왔네? 3시간 걸린다며?"
"오빠 만나고 싶은 생각에 얼른 끝냈죠! 엄마랑 통화도 했으니까 이제 집에 늦게 가도 돼요!"
무척이나 집이 엄하다던 지혜.
윤영철은 고개를 끄덕였다. 이제 가장 중요한 것만 남았다.
"그런데 걸리진 않을까? 잘못하다간……."
한승연의 눈도 반짝였다.
"걱정 마세요! 부모님은 나 여기 온지도 모르니까!"
"아, 그래? 그럼 조금 오래 있어도 되겠네?"
한승연은 순간 희번뜩 떠진 윤영철의 눈에 마른침을 삼켰다.

"그, 그럼요."

"하하. 좋네. 더 오래 볼 수 있어서. 마시고 있어. 부엌에서 먹을 것 좀 가져올게."

"네!"

한승연은 안으로 향하는 윤영철에게서 시선을 거두며 앞에 놓인 머그컵을 봤다.

갈색 커피가 든 머그컵.

'최 경위님이 수면제를 쓸 수도 있다고 했지.'

실제로 그런다.

윤영철은 근육이완제나 수면제를 써서 피해자의 몸과 정신을 몽롱하게 만든 뒤 범행을 저질렀다.

'한 모금 마셨는데…… 괜찮겠지?'

윤영철이 쳐다보기에 어쩔 수 없이 마신 한 모금.

그녀는 괜찮을 거라 애써 마음을 다독였지만 몸은 그렇지가 않았다. 시간이 얼마나 지났을까.

'조, 졸음이?'

머리가 조금 멍해진다.

덜컥 두려움이 든다.

"오, 오빠, 아직 멀었어요?"

"다 됐어. 금방 갈게!"

부엌에서 나온 윤영철은 그녀의 뒤로 접근해 어깨 너머로 음식을 내밀다 멈칫했다.

"커피를 별로 안 마셨네?"

"네, 그게……."

"마셨으면 좋았을 텐데. 그럼 아프지 않았을 텐데……."

오싸악! 퍼억!

"어?"

반사적으로 피하려던 한승연은 순간 멍해졌다.

방금 자신에게 무슨 일이 생긴 걸까.

왜 눈앞이 흐려지고 눈이 감기려는 걸까.

'아, 혹시라도 뒤에서 공격할 수 있으니 경계하라고도 하셨는데…….'

"미안. 네가 완전히 잠들 때까지 참으려고 했는데 더 이상 못 참겠어. 이런 날 이해해 줄 거지? 이따가 봐."

'좆…… 까!'

그녀는 목에 쥔 김윤희 목걸이줄을 강하게 잡아당겼다.

그 순간.

삐이이이이이이이이이잉!

김윤희 목걸이줄에서 맹렬하게 터지는 고음.

"뭐, 뭐야!"

고음에 귀가 꿰뚫린 윤영철이 당황하다 상황을 깨달았다.

"이런 씨발!"

윤영철은 다급히 김윤희 목걸이줄을 향해 손을 뻗었다.

그때였다.

띵동! 띵동!

쿵쿵쿵!

"경찰이다! 문 열어!"

"미친?!"

흔들리는 현관문을 응시한 윤영철의 얼굴이 딱딱하게 굳었다.

* * *

삐이이이이이이이이이이잉!

멀리서도 귀를 찢는 소리가 동네를 깨운다.

이 집, 저 집에서 불이 켜진다.

하지만 그런 것보단 한승연의 안위가 먼저다.

놈이 당황해 흉기를 휘두를 수 있기에, 어쩌면 추가 타격을 입을 수 있기에 문부터 두드린 그들.

경찰이란 단어는 범죄자에게 강한 억제력이 된다.

쾅쾅쾅!

"문 열어, 이 개새끼야!"

한승연이 들어가고 현관문이 닫힌 걸 확인한 후 담을 넘은 그들. 최재수는 퇴로를 차단하러 갔다.

하지만 안에서 답이 없다.

대신 부산한 기척이 나며 방범벨 소리가 멀어진다.

서로를 본 둘은 현관 유리를 향해 발을 치켜들었다.

그때였다.

벌컥!

문이 열리며 헉헉거리는 윤영철이 나온다.

"뭐, 뭡니까! 경찰이 왜 우리…… 흡?!"

종혁은 손을 뻗어 그의 입을 틀어쥐었다.

피 냄새가 코끝을 스친다.

"이 개새끼가!"

눈이 뒤집힌 종혁은 그를 거실에 집어 던지며 오택수를 봤다.

"오 경위님, 저기!"

"오케이!"

호신용 방범벨 소리가 흘러나오는 문.

아마 회귀 전 놈이 범행 대상을 기절시킨 후 가지고 놀다 죽여 버린 장소, 화장실일 거다.

혈흔도 마침 그쪽으로 이어진 상태다.

윤영철의 얼굴이 하얗게 질린다.

"다, 당신들 뭐야! 경찰이면…… 켁!"

"아가리 다물고 있어. 저기서 애가 멀쩡하지 않은 모습으로 나오는 순간 넌 뒤지는 거야."

윤영철의 가슴에 발을 올려 누른 종혁은 화장실을 봤다.

그리고.

"씨발! 승연아! 정신 차려, 인마!"

오택수가 한승연을 부축하며 나온다.

그와 동시에 시간이 느려진다.

"다쳐도 조금만 다치라니까 진짜……."

예상은 했지만 피투성이가 된 얼굴을 목격하니 눈앞이

흐려진다. 머릿속이 너무도 뜨거워 아무것도 보이지 않는다.

뿌득! 뿌드득!

종혁의 발이 점점 윤영철의 가슴을 파고든다.

"케엑! 켁! 케에엑!"

종혁은 시선을 거둬 발밑을 봤다.

살기 위해 발버둥 치는 추레하고 나약한 짐승 한 마리가 그의 눈에 들어온다.

그 모습에 겨우 잡고 있던 뭔가가 뚝 끊긴다.

"야……. 너 그냥 죽을래?"

순간 거실을 잠식하는 끔찍한 살의.

따뜻한 소파에 한승연을 눕힌 오택수가 다급히 종혁을 봤다.

그리고 종혁의 얼굴을 본 순간, 오택수는 망설이지 않고 종혁에게 몸을 날렸다.

"최 경위-!"

퍼억!

종혁은 멀어지는 윤영철을 보며 아쉬워했다.

* * *

삐용삐용!

119 구급차, 홍익파출소 경찰차, 그리고 마포서 형사들이 타고 온 관용차들 모두 제 존재감을 보이고 있다.

종혁은 들것에 실려 이동되는 한승연에게 따라붙었다.

"한 순경, 나 봐요. 이게 몇 개예요."

"세 개……."

배시시 웃는 그녀의 미소에 조여졌던 긴장이 탁 풀린다.

종혁은 그녀를 온정 어린 눈으로 봤다.

"수고했어요. 이젠 우리에게 맡겨요."

"꼭…… 저 새끼…… 무기 징역…… 해 주세요."

"놔! 내가 그랬단 증거 있어?! 저년이……!"

그 모습을 본 한승연의 표정이 일그러졌다.

"널린 게 증거인데…… 무슨 증거를 더 찾아, 이 씨파 새끼야."

약물을 먹이고 망치로 사람을 내리쳤다.

이 이상 확실한 증거는 없었다.

종혁은 그녀의 찰진 욕에 순간 웃음을 터트리곤 말했다.

"그만 말하고 어서 쉬어요."

"네……. 그리고 다음부턴 편히…… 말해 주세요."

"그래. 그러자."

"전 졸려서……."

한승연의 눈꺼풀이 감기자 종혁도 속도를 늦췄다.

"같이 가실 게 아니면 더 이상 오시면 안 됩니다."

"아, 예. 부탁드리겠습니다. 꼭 그 병원으로 가 주세요. 예약해 놨으니까."

고개를 끄덕인 119대원은 문을 닫았고, 앰뷸런스는 사이렌을 크게 울리며 골목을 빠져나갔다.

더 이상 보이지 않을 때가 돼서야 종혁은 몸을 돌렸다.

"야, 너희 이번에도 이거 묻으려 들면 내가 내 모가지 걸고 너희 싹 다 갈아 버릴 거야."

오택수의 엄포에 얼굴이 구겨진 종잇장보다 더 구겨지는 형사들.

시선을 돌린 종혁은 최재수를 찾았다.

뭔가를 찾듯 시선을 내리 깐 채 마당을 서성이는 그.

종혁은 그에게 다가갔다.

"뭐해요? 뭐 잃어버렸어요?"

"아, 저 새끼가 그 많은 동물을 어떻게 처리했을까 싶어서요."

종혁의 눈이 동그래졌다.

"그걸 혼자 생각했어요?"

"아뇨……. 오 경위님이 중얼거리는 걸……."

쓰레기로 버렸거나 파묻었거나 먹었거나 셋 중 하나일 거라고 말했다.

'그럼 그렇지.'

정말 놀랐다.

"아니? 저도 그 부분은 생각하고 있었어요! 이 부분, 이 부분이 뭔가 이상하지 않습니까?"

최재수가 가리키는 부분이 묘하게 이상하다. 마치 땅을 파헤쳤다가 다시 덮고 은폐를 한 것 같았다.

"어? 이거 혈흔 아니에요? 씨발! 뭐야? 뭐가 이렇게 많아!"

흙에 미세하게 묻어 있는 붉은 핏자국.

"……잘 봤네요. 기다려 봐요. 지금부터 이쪽에 아무도 손대지 말고."

종혁은 발밑을 보며 말했다.

회귀 전, 수많은 희생자들이 묻혀 있었던 192번지 정원.

현재 종혁이 선 바로 이 장소, 종혁의 발밑이었다.

당시 이 아래서 발굴된 시신의 숫자만 무려 17구. 함께 발굴된 동물의 사체는 포함시키지 않은 숫자였다.

최재수가 제법 정확한 포인트를 찾았다.

* * *

"와, 경찰 복지가 정말 좋네요."

마포구에서 제일 큰 대형병원 1인실에 입원한 그녀.

다행히 외부 출혈은 있었지만 내출혈은 극히 소량이어서 간단한 봉합 수술로 끝낼 수 있었고, 수술은 아주 잘 끝났다.

상처가 아물면 눈을 가져다대지 않는 이상 다쳤다는 걸 알 수 없을 거다.

오택수는 뭔가 말을 하려고 했지만, 종혁이 툭 쳐서 입을 다물었다.

종혁은 그녀를 보는 눈에 걱정을 담았다.

"좀 어때요? 어지럽지는 않아요?"

"……."

"좀 어때? 어지러워?"

한승연은 씩 웃었다.

"괜찮습니다! 윽!"

"그래, 괜찮아 보이네."

"암. 무릇 경찰이라면 대가리에서 선지도 좀 뽑고 어?"

"배때기에서 피를 콸콸 뽑아 봐야 경찰이지."

둘을 낄낄 웃으며 어깨를 부딪쳤고, 한승연은 그 과격한 말에 침을 꿀꺽 삼켰다.

"그런데 그놈은 어떻게 됐습니까?"

"그 씨파 새끼?"

"씨파 새끼?"

한승연의 하얀 얼굴이 새빨갛게 달아오른다.

"으아앗! 그, 그건!"

"뭔데? 씨파 새끼가 뭐야? 야, 니들 나 따돌리냐?"

둘만의 비밀이라 입을 다문 종혁은 사건 경과를 말해줬다.

한승연의 얼굴이 다시 하얗게 질렸다.

"스, 스물여덟 마리요?"

"그래. 이씹팔."

그 집에서만 발견된 게 그 정도다.

윤영철이 거쳐 간 집들을 모두 뒤져 보면 아마 더 나올 수도 있을 거다. 동네에서 죽어 나간 들고양이에 대한 진실에 다다를 거다.

서장과 강력계 형사 한 명.

이 두 미꾸라지 때문에 망신을 톡톡히 당한 마포서 형사들은 명예를 회복하기 위해 전담반까지 꾸미며 달려들고 있었다.

형사가 작정하고 달려드는데 진실을 밝히지 못할 리 없었다.

'이번에는 내 믿음을 배신하지 말기를.'

"아무튼 그로 인해 이놈의 잔학성이 입증된 거나 다름없으니까 형량을 기대해도 좋을 거야."

게다가 약물을 탄 커피를 먹인 것도 모자라, 사람의 머리를 망치로 후려쳤다. 그것도 중함마망치로.

명백한 살인 의도를 가지고 계획적으로 범행을 저질렀음이 명백했다.

여기에 잔학성까지 인정되면, 윤영철은 최소한 쉰이 넘어야 출소할 수 있을 거다.

만약 이지혜 외에 다른 여성들과 연락한 증거가 있으면 무기징역도 노려 볼 수 있다.

사회 격리. 정상적인 판사라면 이걸 생각할 수밖에 없다.

"……다행이네요. 그 자식 꼭 햇빛 못 봤으면 좋겠어요."

그렇게 만들 예정이다.

"파출소 식구들은 근무 끝나면 온다고 했으니까 이 기회에 푹 쉬어. 쉴 때 쉬어야 경찰 생활 오래할 수 있다."

"당장 3일 후에 임용식인데요?"

"임용장은 여기서 받을 수 있을 거다."

"경찰이 그리 빡빡한 조직은 아니야. 쉬어."

한승연을 토닥인 종혁과 오택수는 병원을 빠져나왔다.

찰칵! 치이익!

무더운 햇볕 아래 담배가 타들어 간다.

"야, 너 죽일 뻔한 거 알지?"

"죽일 뻔은 무슨. 죽일 가치도 없는 새끼구만."

"어이구, 그러셨어요. 그런 놈 눈깔이 그렇게 돌아갔었냐?"

코웃음을 친 종혁은 차에 올랐다.

"뭐해요. 안 갈 거예요?"

"……에이, 씨펄. 졸라 가기 싫네."

차에 오른 그들은 약속 장소로 향했다.

마포경찰서 취조실.

"반갑습니다, 최종혁 경위. 우리가 왜 왔는지는 알죠?"

빙그레 웃으며 맞이하는 안경잽이 정장맨 둘.

본청에서 나온 감찰과 대원들이었다.

* * *

참 오랜만에 들어와 보는 취조실.

저 유리거울 밖에 선 적은 몇 번 있어도 이 안에 들어와 본 건 회귀 후 처음이다.

종혁은 옆에 캠코더를 세운 채 노트북을 켠 둘을 봤다.

'식구 등짝에 칼 꽂을 생각에 아주 신들 나셨구만?'

"최종혁 경위. 24세. 경찰대학교 졸업 후 올림픽 금메

달 보유로 전의경 부소대장을 건너뛰고 바로 순환 근무 시작. 첫 발령지로 마포구 홍익파출소로 발령. 보유 자산이…… 아이구야."

"다 아는 사실은 건너뛰시죠."

쾅!

삼십대 초반 젊은 감찰 대원이 책상을 친다.

"어이! 지금 여기가 뭐하는 자리인지 몰라?!"

"알지. 식구 등에 칼 꽂으려는 거잖아. 뭐 얼마나 처먹었는지 모르겠지만."

사건 발생 하루 뒤에 감찰이 떴다. 감식이 끝난 게 불과 1시간 전인데.

정상적이지가 않다.

"이 새끼가……!"

삼십대 초반의 젊은 감찰 대원은 옆에서 툭툭 치는 사수의 행동에 차갑게 웃으며 자리에 앉았다.

"너랑 너희 어머니가 자산을 이룬 정황이 수상해. 한번 파 볼까. 어?"

종혁의 눈썹이 꿈틀거렸다.

'엄마?'

종혁의 눈빛이 스산하게 가라앉았다.

"어이, 너 지금 그 말 감당할 수 있나?"

종혁의 몸에서 끔찍한 살의가 터졌다.

"그 수수깡 같은 모가지 걸 수 있어? 좆같은 기세잡기 하다가 모가지 부러지면 억울할 텐데?"

"……."

"에헤이. 같은 식구끼리 왜 이래. 너 입 다물고, 최 경위도 진정해요."

"……쯧."

몸을 돌린 종혁은 담배를 꺼냈다.

"죄송하지만, 한 대 피겠습니다."

"그럼요. 얼마든지 펴요."

사십대 중반의 사내는 부하 대원의 불만 서린 눈을 무시했다.

"자, 이제 그럼 본론으로 들어가 봅시다."

다시 몸을 원래대로 돌린 종혁은 고개를 끄덕였다.

"그럼 사건 발생 전으로 돌아가 보죠. 피해자, 아니 피해 예정자 이지혜 씨 대신 시보 한승연 경찰이 192번지로 들어갔습니다. 이유가 뭡니까?"

이걸 보라.

사실 확인조차 안 된 상황에서 감찰이 움직였다. 절대 정상적이지가 않다.

"원래 윤영철은 저와 오택수 경위에게 의심을 사던 인물이었습니다."

"이유는요?"

종혁은 이유를 설명했다.

"……그래서 감시를 하고 있었던 겁니다. 그러던 차에 이지혜 씨가 그 집 앞을 서성이더군요. 그때 오싹했습니다. 아, 이거 일 터지는 거 아니야? 하고요."

“그게 지금 말이라고…….”

“그러니까 그 육감 때문에 그런 함정 수사를 한 거네요?”

“육감이 아니라 망상입니다!”

“저희 예상이 오판이었다면 사과를 하려고 했습니다.”

종혁은 그러며 품 안에서 편지 봉투를 꺼냈다.

“살펴보시죠. 말로만 하려던 게 아니었으니까.”

“……놀이공원 자유이용권, 영화표, 레스토랑 식사권, 호텔 숙박권? 해운대 콘도 5박 6일 숙박권?”

발행일은 사건이 터진 날인 어제다.

종혁은 푸근히 웃었다.

“말로만 하는 사과가 무슨 힘이 있겠습니까. 이지혜 씨는 동의한 일이고요. 녹음 파일도 있습니다.”

“……흠.”

“흥! 그렇게 언제든 진입할 준비를 했다면 이지혜 씨가 들어가는 걸 놔뒀어도 될 텐데 왜 시보를 쓴 겁니까? 이거 윤영철 씨를 자극하기 위해서가 아닙니까?!”

종혁은 젊은 감찰을 봤다. 너무 어이가 없다 보니 웃음조차 나오지 않았다.

“미쳤냐? 피해를 당할 게 뻔히 보이는데, 민간인을 호랑이 아가리에 집어넣으라고? 젊은 나이에 감찰 배지 다니까 눈에 뵈는 게 없지, 지금? 어?”

“야! 내가 네 선배야!”

“좆까. 씨발아.”

쾅쾅!

둘의 시선이 사십대 감찰에게로 향했다.

"좋아요. 그럼 이건 넘어갑시다."

"아니……!"

젊은 감찰은 사수의 무심한 눈빛에 입을 다물었다.

"다음으로 넘어갑시다. 계속해 봐요."

"아무튼 그렇게 기다렸고, 결국…… 뭐, 이후 일은 다 아시죠? 설마 그것도 파악 못하고 왔을까."

삼십대 감찰의 얼굴이 시뻘겋게 달아올랐다.

사십대 사내는 푸근히 웃으며 달래듯 말했다.

"그래도 절차니까 계속해 봅시다."

"에휴."

마지막 한 모금을 빤 종혁은 이후 있었던 일을 차분히 진술했다.

"그러니까 결론을 내리자면 한승연 시보는 어디까지나 둘의 부탁에……."

"강권에."

"그래요. 강권에 의해 분장을 하고 그 집에 들어가서 그 봉변을 당한 거군요. 함정 수사를 하다가요. 최재수 시보도 둘의 강권에 의해 도주로를 차단한 거고요."

"시보가 무슨 힘이 있겠습니까. 까라면 까야지. 아무튼 여기까지가 이번 사건의 내막이니 걔들은 건들지 마십쇼."

드륵!

"어디 가! 아직 안 끝났어!"

"네, 수고하셨습니다. 오늘은 이쯤에서 마무리하죠."

"……!"

캠코더를 끈 사십대 감찰은 삼십대 감찰을 봤다.

"넌 나가 있어."

"……후우."

상사의 명령은 절대적.

감찰과 같은 폐쇄적인 집단은 그런 경향이 특히 더 심하다.

할 말이 정말 많지만 참은 그는 씩씩거리며 나갔고, 이내 곧 둘만 남겨졌다.

사십대 사내는 종혁을 향해 라이터를 켰다.

"음?"

"뭐해. 뜨거워."

종혁의 눈이 동그랗게 떠졌다.

(회귀 경찰의 리셋 라이프 8권에서 계속)